SANDRO MAGALDI | JOSÉ SALIBI NETO

LIDERANÇA DISRUPTIVA

HABILIDADES E COMPETÊNCIAS TRANSFORMADORAS PARA LIDERAR NA GESTÃO DO AMANHÃ

"A obsolescência da liderança na era exponencial é uma realidade. Neste livro, José Salibi Neto e Sandro Magaldi apresentam uma ferramenta poderosa para conseguir liderar de maneira bem-sucedida num mundo de rupturas."

Ram Charan, consultor de CEOs e executivos e autor best-seller

"Este livro oferece uma nova perspectiva de liderança num mundo dominado pela incerteza, pelo avanço das inovações e por contratempos inevitáveis."

Philip Kotler, autor de 90 livros sobre marketing, negócios, sociedade e suas constantes mudanças

"Acabou o prazo de validade daquelas tradicionais habilidades de liderança! Por isso você deve ler *Liderança disruptiva*. Aqui você vai desenvolver as competências necessárias para prosperar num mundo movido por constantes inovações tecnológicas."

Alexander Osterwalder, um dos especialistas em estratégia e inovação mais influentes do mundo, quarto lugar no ranking mundial dos 50 maiores estudiosos de gestão, autor de vários livros – entre eles o best-seller traduzido para vários idiomas *Business Model Generation* – e criador do Business Model Canvas

"É só olhar ao redor, tudo está mudando (televisão, telefone, meios de transporte, hospedagem, meios de compra, saúde e por aí vai). Para acompanhar esse ritmo, as diretrizes da liderança também devem se transformar, e na mesma velocidade do mundo que nos rodeia. Embasado numa pesquisa cuidadosa e na vasta experiência dos autores, este livro propõe oito lentes por meio das quais a liderança deve ser vista. Esse modelo de 'liderança octogonal' oferece insights inovadores e atitudes importantes para agregar valor às pessoas, às organizações e à sociedade. Uma bela contribuição para qualquer líder que queira se adaptar a esses tempos de mudança constante."

Dave Ulrich, professor da Rensis Likert, da Ross School of Business e da Universidade de Michigan e sócio do The RBL Group

"*Liderança disruptiva*, de Salibi e Magaldi, oferece um roteiro muito claro para os executivos de hoje e para os desafios que terão de enfrentar. Queria ter lido estas páginas dez anos atrás, antes que a necessidade de adaptação às inovações fosse tão crucial para manter o básico enquanto você se prepara para um mundo em que tudo muda muito rápido."

Jorge Paulo Lemann, empresário e acionista majoritário de empresas como AB InBev, Kraft Heinz e Burger King, entre outras

"*Liderança disruptiva*, de José Salibi Neto e Sandro Magaldi, é um verdadeiro divisor de águas! Como empresário do setor de agências esportivas, não poderia deixar de recomendar este livro. Ele oferece uma perspectiva poderosa e visionária sobre como lidar com mudanças e ser um líder bem-sucedido no mundo acelerado de hoje."

Nina Wennerstrom, fundadora da empresa sueca Wesport

"Nenhum livro atual de gestão sobre liderança agrega tanto valor quantwo este de Magaldi e Salibi. Nesta obra clara, perspicaz e útil, os autores contam aos líderes corporativos a verdade sobre a liderança dos dias atuais: busque sempre a transformação, do contrário, em pouco tempo você se tornará irrelevante. Aqui, Magaldi e Salibi vão te dizer como alcançar essa transformação."

John A. Davis, renomado acadêmico, especialista em organizações familiares e professor da MIT Sloan School of Management

"Num mundo onde até o passado se tornou imprevisível, este livro oferece conselhos urgentes e de valor inestimável para líderes de todos os níveis, independentemente do setor e da localização geográfica."

Claudio Fernandez-Araoz, autor de best-sellers e consultor de aquisição de talentos e de empresas familiares

"José Salibi dedicou três décadas à investigação dos melhores líderes do mundo, a começar por Peter Drucker, o maior estudioso de gestão de todos os tempos, com quem o autor trabalhou por anos. Com o tempo, Salibi desenvolveu a habilidade especial de identificar ideais promissoras e reunir as pessoas por trás dessas ideias para moldar a mente de líderes em exercício, elevando assim a habilidade de liderança do país todo. Agora, como autor talentoso, ele amplia seu campo de atuação, costurando diferentes insights que contribuem para a liderança bem-sucedida em meio a um ciclo interminável de mudanças disruptivas. E, com isso, construímos um mundo melhor."

Jim Collins, autor de *Empresas feitas para vencer* e coautor de *Feitas para durar*

Diretora
Rosely Boschini

Gerente Editorial Sênior
Rosângela de Araujo Pinheiro Barbosa

Editora Júnior
Rafaella Carrilho

Assistente Editorial
Tamiris Sene

Produção Gráfica
Fábio Esteves

Preparação
Thiago Fraga

Capa
Rafael Nicolaevsky

Projeto Gráfico e Diagramação
Vanessa Lima

Ilustrações de Miolo
Sagui Estúdio

Revisão
Elisabete Franczak e Wélida Muniz

Impressão
Bartira

Copyright © 2022 by
Sandro Magaldi e José Salibi Neto
Todos os direitos desta edição são
reservados à Editora Gente.
R. Dep. Lacerda Franco, 300 – Pinheiros
São Paulo, SP – CEP 05418-000
Telefone: (11) 3670-2500
Site: www.editoragente.com.br
E-mail: gente@editoragente.com.br

CARO LEITOR,
Queremos saber sua opinião sobre nossos livros.
Após a leitura, curta-nos no facebook.com/editoragentebr,
siga-nos no Twitter @EditoraGente e no Instagram @editoragente
e visite-nos no site www.editoragente.com.br.
Cadastre-se e contribua com sugestões, críticas ou elogios.

Dados Internacionais de Catalogação na Publicação (CIP)
Angélica Ilacqua CRB-8/7057

Magaldi, Sandro
  Liderança disruptiva : habilidades e competências transformadoras para liderar na gestão do amanhã / Sandro Magaldi e José Salibi Neto. – São Paulo: Editora Gente, 2022.
  192 p.

  ISBN 978-65-5544-240-3

  1. Liderança I. Título II. Salibi Neto, José

22-3144   CDD 658.4092

Índice para catálogo sistemático:
1. Liderança

NOTA DA PUBLISHER

O modelo de mundo em que crescemos e nos desenvolvemos mudou drástica e rapidamente. Antes, tudo levava anos, ou décadas, para mudar. Agora, basta um piscar de olhos. Essa velocidade, em constante aceleração, faz com que todas as estruturas conhecidas se tornem incertas, afinal, o que existe hoje pode se tornar obsoleto amanhã. E se tudo muda assim, à vista, como é possível se manter firme e construir uma gestão durável, rentável e transformadora?

A resposta Sandro Magaldi e José Salibi Neto nos trazem nesta obra maravilhosa que você tem em mãos. Incansáveis, eles se reuniram com as maiores inteligências em liderança para entender como essas pessoas, que estão à frente das mudanças do mundo, atuam. O resultado compôs este livro com um rico conhecimento que, até o momento, poucos tinham a chance de adquirir.

Com uma generosidade admirável, após milhares de horas de pesquisas, eles trouxeram o inalcançável para nós a partir de um ponto de vista único sobre a liderança, os negócios e o executivo. Aqui, você aprenderá com quem que está promovendo uma verdadeira revolução humana, com maior prosperidade e produtividade para todos, em escala global.

Liderança disruptiva, assim como as obras anteriores dos autores, já nasce como um livro de referência para todos que desejam estar à frente de um negócio que efetivamente fará a diferença amanhã. Tenho certeza de que todas as páginas serão essenciais – e disruptivas – para a sua jornada.

Uma ótima leitura,

Rosely Boschini – CEO e publisher da Editora Gente

DEDICATÓRIA

Sempre tive muito respeito pelos líderes que passaram pela minha vida. São pessoas que fizeram a diferença em minha trajetória e moldaram minha jornada. Ao longo do processo de construção desta obra, perdi a timoneira da minha embarcação. Minha avó Cida partiu.

Ao longo de toda a sua jornada, minha avó me mostrou o valor da tenacidade, da solidariedade e, sobretudo, do amor. Sua dedicação e seu amor incondicionais sempre me tocaram e me fizeram um ser humano melhor.

Ela partiu, mas estará sempre comigo. Dentro do meu coração.

Não poderia deixar de dedicar este livro sobre liderança a uma das minhas líderes mais especiais. Dedico-o com muito amor e carinho a você, vó.

Sandro Magaldi

Não poderia deixar de dedicar este livro sobre liderança a dois líderes que impactaram a minha vida de uma maneira da qual eles jamais farão ideia. Ambos me ensinaram que não existem limites para o que uma pessoa pode fazer. O primeiro deles é o doutor Irany Novah Moraes, médico, cirurgião, empresário, escritor e pesquisador. Ele foi um dos maiores cirurgiões vasculares do mundo, autor de 29 livros e cofundador da Amesp Saúde, empresa pioneira na organização do sistema de saúde brasileiro.

Naquela época, éramos vizinhos, e o dr. Irany passava horas conversando comigo quando estava em home office. Eu, ainda muito jovem, ficava fascinado com toda aquela sabedoria, que ia muito além da medicina, uma vez que impactava a vida das pessoas em sociedade. Dr. Irany abriu minha mente para o mundo e me fez correr atrás dos meus sonhos em mares em que eu não pensava navegar. Até hoje ouço a voz dele dizendo: "Escreve, Neto, escreve".

O segundo líder que quero homenagear é Carlos Goffi, brasileiro que é um gênio do tênis mundial, além de descobridor e coach de John McEnroe, que foi um dos maiores tenistas da história. Goffi treinou, também, centenas de tenistas de alta performance de todo o mundo. Ele escreveu o best-seller *Tournament Tough: A Guide Junior Championship Tennis* e fundou um dos maiores tennis camps dos Estados Unidos, o Tournament Tough, onde tive a honra de ser o primeiro Head Pro.

Goffi foi um dos primeiros brasileiros a obter bolsa de estudos em uma universidade americana, por meio do tênis, e assim abriu portas acadêmicas para milhares de tenistas brasileiros ao longo dos anos – eu fui um dos beneficiados. Em suas inúmeras conversas comigo, ele sempre me fez acreditar que seria possível transformar o impossível em possível. Carrego essa crença comigo até hoje. Goffi e sua família estiveram ao meu lado quando mais precisei.

Dedico este livro também às mulheres incríveis da minha vida: Luciana Salibi e Cristiana Salibi, que me fazem querer ser cada dia melhor.

José Salibi Neto

AGRADECIMENTOS

Nossa missão de vida é transformar a das outras pessoas produzindo e compartilhando conhecimentos sobre gestão que contribuam para que elas sejam melhores líderes, empreendedoras e gestoras. Entendemos que, desse modo, colaboraremos para conquistarmos uma nação mais próspera e produtiva.

Este livro é o sexto que publicamos nos últimos quatro anos graças à inquietude derivada dessa missão. São mais de 100 mil cópias vendidas, o que nos motiva a continuar nessa estrada.

Sempre comentamos que nossa virtuosa parceria é o exemplo concreto do valor da cumplicidade. Quando nos unimos, o resultado de dois mais dois não é quatro. É um milhão. Essa, no entanto, não é uma jornada solitária.

Nós nos cercamos de pessoas que têm o mesmo interesse e desejo pela transformação. A começar pela nossa equipe que está à frente da plataforma Gestão do Amanhã e que lidera projetos como a Imersão e Mentoria Gestão do Amanhã na Prática, nossos workshops, cursos on-line e derivações. Não poderíamos deixar de agradecer a Cris Salibi, Isa Magaldi e Marcos Abs. Sem essa turma, nada acontece.

Esta obra não seria a mesma sem a participação especialíssima do conhecimento de nossos entrevistados. Sem dúvidas, conversamos com protagonistas das mudanças do mundo e que nos brindaram com seu saber com muita generosidade. Este agradecimento especial vai para (em ordem alfabética) Alex Osterwalder, Claudio Fernández-Aráoz, David Niekerk, David Ulrich, Edson Rigonatti, Eric Santos, Guilherme Horn, Janete Vaz, Jim Collins, John Davis, Maira Habimorad, Pedro Bueno, Philip Kotler, Ram Charan, Sandra Gioffi, Silvio Genesini, Silvio Meira e Sofia Esteves. Que honra e privilégio é ter essa turma conosco.

Não poderíamos deixar de agradecer a todos os que nos acompanham e nos prestigiam com atenção zelosa a nossos conteúdos. Costumamos comentar em nossos programas que vocês são o único motivo para estarmos fazendo tudo isso. Sem a interlocução de nossa audiência nada disso tem valor ou sentido. Obrigado por você estar sempre conosco e nos apoiar com tanto carinho e respeito. Nos emocionamos com todas as mensagens que recebemos com testemunhos de nosso impacto. Obrigado!

Viabilizar um livro se constitui um desafio muito maior do que as páginas expressas em si. Envolve milhares de horas de dedicação e concentração. A segurança emocional e o apoio oferecido por aqueles que estão mais próximos é essencial. Agradecemos, com o coração repleto de carinho e amor, a nossos familiares, nossas esposas e filhas, que nos ofereceram todo o suporte nessa caminhada.

Investimos tempo precioso neste projeto para levar a você o que temos de melhor. Nossa inquietude nos nutre, e seremos incansáveis em articular um conhecimento de referência mundial para explorar as transformações de um mundo cada vez mais incerto, imprevisível e instável. Você merece nosso empenho!

SUMÁRIO

INTRODUÇÃO — 12

CAPÍTULO 1 — 28
A NOVA LIDERANÇA E O LÍDER CONECTOR

CAPÍTULO 2 — 42
O LÍDER EXPONENCIAL

CAPÍTULO 3 — 58
O LÍDER ALGORÍTMICO

CAPÍTULO 4 — 74
O LÍDER COMO ARQUITETO DE NEGÓCIOS

CAPÍTULO 5 — 88
O LÍDER AMBIDESTRO

CAPÍTULO 6 **O LÍDER COLABORADOR**	**104**
CAPÍTULO 7 **O LÍDER COMUNICADOR**	**122**
CAPÍTULO 8 **O LÍDER CONSTRUTOR DE AMBIENTES DE APRENDIZADO**	**140**
CAPÍTULO 9 **O LÍDER ESG**	**160**
CONCLUSÃO **CORAGEM**	**176**
BIBLIOGRAFIA	**184**
NOTAS	**188**

INTRODUÇÃO

John Chambers é um dos líderes mais bem-sucedidos do mundo contemporâneo dos negócios e é muito cultuado no Vale do Silício, meca do empreendedorismo e da inovação nos Estados Unidos.

Em 2017, quando atuou como professor convidado em um programa de educação executiva para CEOs da renomada Harvard Business School, levou aos participantes uma mensagem preocupante: "Há uma década ou duas, o CEO podia ficar em sua sala com planilhas e trabalhar na estratégia. Hoje, se você não sair para escutar o mercado e compreender suas transições, não vai entender que precisa se reinventar constantemente a cada três ou cinco anos para poder sobreviver como CEO".

Chambers tem autoridade para firmar essa sentença. Quando ingressou na Cisco, em 1991, a empresa tinha quatrocentos colaboradores e faturava 70 milhões de dólares. Quando se desligou dela em 2015, após ter atuado vinte anos como CEO, a empresa faturava 47 bilhões de dólares e tinha mais de 70 mil colaboradores. Ela saiu de um único produto para dezoito linhas de produtos. Durante esse período, a empresa adquiriu 180 empresas e desenvolveu um *playbook* de inovação que seria replicado além das fronteiras.

Ou seja, não se trata de um acadêmico incauto nem de um profeta do apocalipse que emerge a cada esquina à luz das transformações do mundo. A preocupação de Chambers com o ciclo de obsolescência de um CEO e seu conhecimento é legítima.

Em janeiro de 2021, o *MIT Sloan Management Review*, periódico de autoria da prestigiosa universidade americana MIT (Massachusetts Institute of Technology), publicou o estudo Leadership's Digital Transformation, no qual apresenta abrangente pesquisa sobre os desafios da adaptação das lideranças, a chamada transformação digital.

Em uma passagem do relatório, Carlos Brito, na época CEO da AB InBev, uma das maiores organizações do mundo, comenta sua inquietude perante as novas demandas dos novos tempos:

> *Eu sou CEO há quinze anos. O início de minha atividade nessa posição foi muito mais fácil porque lidávamos puramente com o negócio. Tínhamos que lidar com consumidores, com varejistas. Mas agora é mais amplo – envolve sustentabilidade, raça, desigualdade, política. Envolve tudo.*[1]

Brito sugere, ainda, que a nova orientação da liderança vai muito além das métricas de produtividade e eficiência que foram, tradicionalmente, a agenda de executivos nessa posição. Essa constatação simboliza, de modo bastante claro e direto, o que tem tirado o sono dos principais líderes corporativos do mundo – mas não são apenas as inquietudes da liderança que estão em evidência nessa reflexão.

A pesquisa The New Leadership Playbook for the Digital Age, feita com mais de 4 mil líderes empresariais e realizada por Douglas A. Ready, em parceria com a consultoria Cognizant e publicada na edição de novembro de 2019 na mesma publicação do MIT, mostra que apenas 12% dos entrevistados concordam que seus líderes estão preparados para levar suas organizações adiante nesse contexto de transformações e rupturas.[2]

Se preferir ter uma leitura mais alarmante desse diagnóstico, 88% dos entrevistados entendem que seus líderes não estão preparados para conduzir com sucesso as companhias nesse novo mundo.

Temos, então, uma combinação terrível: de um lado, aqueles que ocupam posições de liderança entendem que o modelo atual é incompleto e impreciso. De outro, os liderados têm a mesma percepção, o que suscita insegurança e esgarçamento de um padrão estabelecido há séculos. E qual é a raiz dessa distensão?

O modelo atual de liderança foi forjado em um mundo que não existe mais. Suas bases remontam há mais de um século, tendo como origem a Primeira Revolução Industrial. É evidente que ao longo dos anos emergiram novos conceitos, interpretações e contribuições valiosas não só sobre a prática da liderança, mas, principalmente, a respeito do papel do líder e suas atribuições. No entanto, estamos diante de um novo mundo que demanda um novo pensamento sobre liderança.

É forçoso reconhecer que o modelo tradicional teve êxito em responder às demandas do mundo empresarial ao longo de décadas. Foi um dos principais responsáveis pelo sucesso na geração de resultados e performance em muitas organizações que cresceram e se consolidaram.

Nas condições atuais, porém, esse padrão representa grandes desafios no engajamento de colaboradores talentosos e na fluidez do sistema de gestão organizacional, acarretando a tendência de resultar companhias pouco ágeis e com baixa adaptabilidade ao meio.

É inegável que o avanço tecnológico está no centro dessas transformações, o que evidencia que o que está por vir é ainda mais intenso do que o status atual.

Na obra *The Future is Faster Than You Think*, os autores Peter Diamandis, um dos fundadores da Singularity University, e Steven Kotler fazem um alerta importante ao mencionar que todos os progressos testemunhados atualmente com a evolução de tecnologias disruptivas – por exemplo, inteligência artificial, robótica, nanotecnologia, biotecnologia etc. –, por mais que estejam provocando transformações radicais, estão ficando ultrapassados.

Estão se formando, progressivamente, ondas independentes de tecnologias exponenciais que começam a convergir entre si, gerando novas ondas de aceleração em velocidade inédita na humanidade. Essa fusão de tecnologias, até então encarada de maneira separada e estanque, vai promover uma velocidade ainda maior no modo como tudo acontece no ambiente empresarial, uma vez que resultará em um manancial de informações e automações sequer imaginável em um passado recente.

Diamandis e Kotler afirmam que essas ondas estão começando a se sobrepor, produzindo gigantes do tamanho de um tsunami e ameaçando levar embora quase tudo que estiver em seu caminho.

Além de todos os impactos advindos da evolução tecnológica, o contexto de mudanças sociais tem influenciado diretamente toda a sociedade, trazendo novas interpretações e visões de mundo distintas do passado.

Inclusão, diversidade, criação de valor compartilhado, entre tantos outros temas, são introjetados na agenda das empresas de maneira decisiva. A extrema transparência decorrente da popularização e pulverização dos meios de comunicação digital deixa as empresas extremamente expostas e elas acabam sendo cobradas por todos os seus passos.

Indo além da necessária perspectiva social, tomadas de decisões equivocadas que confrontam essa nova visão de mundo impactam economicamente as empresas, seja com boicote de consumidores, processos legais ou gigantescas repercussões que podem deteriorar a percepção de valor em relação às marcas consolidadas.

Concomitantemente, explodem diversas iniciativas fragmentadas e orquestradas de modo descentralizado, o que inviabiliza qualquer mecanismo de controle por parte das empresas.

Como se não bastasse essa verdadeira revolução, no início de 2020, o mundo foi acometido por um dos fenômenos mais nefastos da história: a pandemia da Covid-19. A humanidade nunca mais será a mesma e, evidentemente, os reflexos dessas transformações têm impactado consideravelmente o ambiente empresarial. Um dos efeitos mais evidentes desse evento, derivado do isolamento social, representa um dos maiores desafios para todos os líderes corporativos: a virtualização do trabalho.

Desde o surgimento do conceito de empresas tal qual conhecemos, estabeleceu-se um limite nítido entre o lar e o trabalho dos colaboradores, definindo, com clareza, as fronteiras do público e privado, do pessoal e institucional. Com o advento do home office, de maneira pulverizada e abrangente, esses limites imploriram sem dar tempo para uma reflexão mais estruturada de preparação a essa nova modalidade de trabalho.

O mundo virtual faz a performance individual das pessoas ser mais invisível. Além das óbvias reflexões sobre como estruturar fisicamente o novo ambiente de trabalho, o papel do líder nesse contexto tem sido muito discutido, formulando-se teses sobre como tratar o relacionamento entre líderes e liderados. A confiança estabelecida entre todos os agentes é um atributo-chave que vai muito além da arquitetura dos novos modelos de trabalho, e deve ser contemplada nessa nova visão de liderança.

Considerando todo esse cenário, é fácil entender as indagações dos líderes no início desta introdução e por que estamos diante da demanda por uma mudança estrutural em todo sistema de liderança.

Não basta alterar a dinâmica do modelo de gestão organizacional introjetando apenas novas práticas ou metodologias modernas. Além de mudanças no método, é necessário reinterpretar o sistema de pensamentos do líder, de modo a adotar um padrão capaz de integrar novas habilidades e competências na formação de um novo repertório apto a lidar com a complexidade advinda dessa nova era.

O estadunidense David Ulrich é professor da Ross School of Business e um pensador que, com mais de trinta livros escritos, foi um dos responsáveis por moldar todo o nosso conhecimento sobre a área de recursos humanos. Em recente conversa que tivemos com ele, Ulrich nos trouxe uma perspectiva central para entender a demanda por um novo modelo de pensamento sobre liderança.

Tradicionalmente, nos habituamos a entender que o conteúdo é o rei. Essa definição sempre foi adotada para evidenciar a relevância dos conteúdos na formação do conhecimento.

No entanto, se o conteúdo é o rei, o contexto é o reino. O imperativo para que uma mensagem seja aderente às demandas do ambiente é que ela esteja síncrona às características daquela conjuntura. Ora, se o contexto mudou drasticamente, não faz sentido mantermos o mesmo conteúdo de sempre. É uma conclusão lógica e causal.

Não se trata aqui de subverter a essência da liderança (que, a propósito, transcende os limites do ambiente empresarial). Alguns de seus princípios são elementares. As práticas, porém, mudaram. As atitudes de um líder devem se adaptar de acordo com o contexto em que ele está inserido.

Na mesma conversa que tivemos com Ulrich, ele fez uma provocação: "Imagine que Steve Jobs estivesse entre nós. Ou Abraham Lincoln. Ou Churchill. Você imagina que eles utilizariam as mesmas técnicas que adotaram, de maneira bem-sucedida, para liderarem transformações similares às que lideraram?".

É difícil imaginar que abordagens análogas não seriam alvo de resistência e dificuldade de engajamento diante das demandas atuais da sociedade e dos indivíduos. É essencial, portanto, estruturar um novo modelo aderente a esse novo contexto.

O bem-sucedido empreendedor digital Eric Ries, em sua obra *A startup enxuta*, enunciou que os vencedores da nova era não serão definidos por terem as melhores ideias nem por sua capacidade de execução e, sim, pela habilidade de se adaptarem com rapidez a esse novo mundo.

O maior desafio do líder atual é adaptar a sua empresa a esse novo ambiente. E, para que a adaptação tenha êxito, ele próprio deve se reinventar.

Mesmo considerando que a tecnologia ocupa lugar central nesse plano, devemos posicioná-la no seu papel fundamental: ela é o meio para atingir determinados objetivos com mais produtividade e agilidade. A tecnologia não é um fim em si mesma. A despeito das visões futuristas presentes em obras de ficção e distopia, quem – ainda – faz as engrenagens funcionarem são os seres humanos.

Nada acontece sem o engajamento e a inserção adequados dos indivíduos nesse processo de transformação. Essa premissa nos leva à indagação principal deste livro. Considerando a relevância dos seres humanos para a bem-sucedida evolução dessa adaptação, o líder ocupa posição central em todo esse contexto, e sua ação é essencial para o progresso da adaptação a esse novo mundo.

Em seu papel de orquestrador dos esforços da organização rumo à alta performance e geração de resultados, a liderança de uma companhia exerce influência decisiva em sua evolução e tanto pode ser um detrator como um facilitador de toda e qualquer inserção de novas práticas.

É impossível não concluir que a adequação do líder a esses novos tempos é um grande desafio. O exercício da liderança sempre se revestiu de um desafio e tanto para aqueles que optaram por esse caminho. A história é pródiga em exemplos que transcendem o ambiente empresarial na demonstração inequívoca das adversidades que se colocam no caminho daqueles que conseguiram prosperar.

No entanto, a despeito dessa perspectiva altamente desafiante soar desalentadora, em raras situações indivíduos tiveram tantas possibilidades de fazer a diferença por meio de sua ação pessoal como na atualidade. Não se trata apenas de uma mudança no papel do líder. Com essa nova era, as organizações têm repensado, como um todo, o que são e o significado de liderar.

É um processo sistêmico que envolve tudo e todos. É por isso que essa reflexão não está circunscrita àqueles que habitam o topo da pirâmide organizacional. Nesse ambiente de transformações e rupturas, todos devem adotar uma mentalidade de liderança.

Em seu papel de orquestrador dos esforços da organização rumo à alta performance e geração de resultados, a liderança de uma companhia exerce influência decisiva em sua evolução e tanto pode ser um detrator como um facilitador de toda e qualquer inserção de novas práticas.

No artigo Leadership Mindsets for the New Economy, também de Douglas A. Ready e da MIT, Patty McCord, ex-diretora de talentos da Netflix, declara que "temos de pensar em nós mesmos como membros de uma comunidade de liderança".[3]

Essa é uma visão inclusiva que traz uma abrangência mais representativa para o tema ao permear não somente aqueles que ocupam uma posição formal de líder em uma organização.

Desde 2016, temos nos dedicado a explorar a temática das transformações do mundo e seu impacto no ambiente organizacional em profundidade, quando publicamos nosso primeiro artigo sobre plataformas de negócios. De modo mais estruturado, reunimos nossos achados mais relevantes no best-seller *Gestão do amanhã*, publicado pela editora Gente.

A partir daí, nossa jornada se intensificou, e com o aprofundamento de nossos estudos e pesquisas construímos o escopo de uma visão sobre os pilares necessários para que uma organização seja bem-sucedida atualmente.

Essa visão é apresentada de maneira sintética na figura a seguir.

A lógica por trás dessa tese é que para uma empresa obter êxito, ela deve ter conhecimento profundo do ambiente no qual está inserida. A partir desse entendimento, é necessário harmonizar três sistemas de sua gestão: cultura organizacional, estratégia e liderança.

Nas obras *O novo código da cultura* e *Estratégia adaptativa* exploramos esses dois temas em profundidade. Agora chegou o momento de percorrermos os caminhos para uma liderança mais adaptada a esse novo mundo.

Na realidade, essa jornada sobre o tema foi iniciada quando publicamos o *Gestão do amanhã*. Em um dos capítulos da obra tratamos do perfil do líder da Quarta Revolução Industrial.

A velocidade das mudanças do ambiente e a necessidade de aprofundar esse tema nos levaram a retomar o assunto agora de maneira mais completa e detalhada. Nós vamos rever e ressignificar cada competência original em um arco com novas perspectivas.

É bastante simbólica a necessidade de rever um escopo teórico apenas quatro anos após a publicação do livro *Gestão do amanhã*. Essa é uma metáfora dos novos tempos em que as placas tectônicas ainda estão em acomodação e que vivemos em um ambiente em transição.

Para oferecermos uma visão profunda e em consonância com os novos tempos, além de farta revisão bibliográfica (consultamos em detalhes mais de cinquenta obras publicadas em todo o mundo, todas especificadas na bibliografia ao final desta obra), tomamos uma decisão que foi o ponto de inflexão para este projeto: entrevistamos dezoito líderes empresariais e experts globais no assunto para obtermos a visão deles sobre o tema.

Ao longo da leitura, você vai notar que vamos resgatar o pensamento das personalidades que consideramos coautores desta obra, tal a relevância e influência de suas teses em nossos conceitos. Essa lista de entrevistados inclui (em ordem alfabética):

ALEX OSTERWALDER

CLAUDIO FERNÁNDEZ--ARAÓZ

DAVID NIEKERK

DAVID ULRICH

EDSON RIGONATTI

ERIC SANTOS

GUILHERME HORN

JANETE VAZ
JIM COLLINS
JOHN DAVIS
MAIRA HABIMORAD
PEDRO BUENO
PHILIP KOTLER
RAM CHARAN
SANDRA GIOFFI
SILVIO GENESINI
SILVIO MEIRA
SOFIA ESTEVES

Durante a leitura deste livro, você conhecerá, em mais detalhes, a trajetória de cada um dos nossos convidados que nos brindaram com seu conhecimento.

Nossa jornada de estudos nos levou a adotar uma poderosa metáfora para desenvolvermos nosso modelo sobre o tema. Estruturamos o conceito da constelação da liderança.

Cada capítulo desta obra vai explorar em profundidade os territórios que compõem esse sistema e que, juntos, constituem o perfil do líder apto a lidar com os desafios dessa nova era. Batizaremos esses territórios de competências transformadoras, porque traduzem, essencialmente, o potencial da reinvenção.

Adotamos a metáfora da constelação, uma vez que, atualmente, há entendimento de que se trata de um sistema dinâmico no qual novas estrelas surgem e outras desaparecem de acordo com as mudanças do ambiente – essa é uma perspectiva clara e evidente para nós.

Acreditamos que vivemos em um sistema dinâmico e tudo está em aberto. Como diz aquele termo da língua inglesa: estamos no modo *work in progress* (algo como "trabalho em progresso"), em que tudo é passível de releituras e complementos contínuos.

São oito as dimensões dessa constelação:

1. O líder exponencial;
2. O líder algorítmico;
3. O líder como arquiteto de negócios;
4. O líder ambidestro;
5. O colaborador;
6. O líder comunicador;
7. O líder construtor de ambientes de aprendizado;
8. O líder ESG.

Outro aspecto que reforça a adoção da metáfora da constelação é ela contar com uma clara interdependência entre seus elementos, o que compõe um sistema único e flexível que evolui com o tempo.

Dessa correlação entre os componentes do sistema e da necessidade de não corrermos o risco de uma visão fragmentada emerge a demanda por um agente que conecte todos os pontos de nossa constelação. Por esse motivo, enunciamos o líder conector aquele que dá a liga ao nosso método.

Nossa proposta com as oito dimensões da liderança é trazer à luz estudos e reflexões propositivas e embasadas em relação ao papel do líder da nova era. Todas as teses serão apresentadas com base em casos práticos de líderes e empresas que estão trilhando de maneira bem-sucedida – ou não – sua trajetória.

Importante esclarecer que em liderança não existe um padrão nem um modelo único. O que almejamos trazer é uma reflexão sobre como cada um desses elementos se apresenta no seu padrão de comportamento e modelo de liderança. Cada leitor vai encontrar e desenvolver sua própria caminhada de modo autoral e assumindo seu protagonismo.

Não restam dúvidas de que estamos diante de um desafio sem precedentes na história da humanidade. De modo crescente, e até surpreendente, novas perspectivas emergem com uma frequência assustadora. Em muitas situações, o medo se manifesta e toma conta de nossos pensamentos, uma vez que se trata de um cenário que ninguém jamais presenciou e vivenciou.

A mudança de modelo não acontece de maneira súbita ou a curto prazo. Recomendamos que você encare esse desafio como uma jornada. Uma longa e deliciosa jornada de reinvenção pessoal.

Para nós, ao largo de tudo que temos estudado e vivenciado, está claro que há um espaço importante para florescerem e prosperarem organizações e indivíduos capazes de fazer uma boa leitura desse ambiente e que consigam, sobretudo, adaptarem-se a esse novo contexto.

Nos próximos capítulos, você terá as referências necessárias para essa adaptação. Vamos explorar cada dimensão de nossa constelação da liderança.

Como já é tradição em nossas obras, você terá à disposição materiais complementares para aprimorar sua experiência de aprendizado. Ao final de cada capítulo, haverá um box com um QR code que dará acesso a vídeos exclusivos sobre cada conteúdo para você conhecer nossos convidados especiais e suas perspectivas sobre cada tema, além de nossa visão sobre essas estruturas. São nove vídeos produzidos, exclusivamente, para este projeto.

Além disso, estruturamos uma ferramenta de diagnóstico exclusiva. No fim desta obra, você poderá realizar um teste para avaliar seu perfil atual em relação à cada dimensão da nossa constelação da liderança disruptiva. O objetivo é que você invista em seu autoconhecimento para ter condições de se adaptar a esse contexto.

Para começar, vamos entender, em profundidade, o que significa essa nova liderança e conceituar o líder conector, elemento central de nosso método.

Como comentou Silvio Genesini em nossa conversa: "Esse trem já saiu da estação". Assim, que se inicie nossa jornada!

A mudança de modelo não acontece de maneira súbita ou a curto prazo. Recomendamos que você encare esse desafio como uma jornada. Uma longa e deliciosa jornada de reinvenção pessoal.

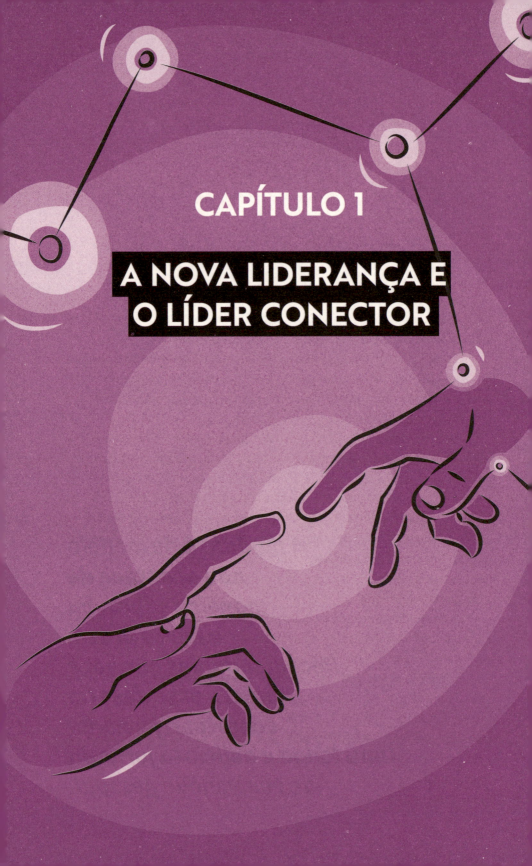

O ano de 2020 entrou para a história da humanidade e será lembrado daqui a séculos, bem como outros marcos legendários – por exemplo, as Guerras Mundiais, as Revoluções Industriais e Francesa e momentos similares – que representaram ruptura no modo em que vivemos e que até hoje são relembrados nos quatro cantos do mundo.

É surpreendente que, desta feita, o responsável por toda essa consternação seja um micro-organismo que todo o planeta aprendeu a conhecer com uma familiaridade aterrorizante: o novo coronavírus.

Os efeitos da pandemia causados pelo vírus e suas variantes assolaram todas as nações. A despeito de seus efeitos heterogêneos sobre os países, ninguém saiu ileso, e a humanidade se viu prostrada perante uma ameaça desconhecida.

O mundo passava por um processo de transformação em níveis inéditos derivado do avanço tecnológico. A velocidade das mudanças saltava aos olhos, impactando a sociedade e o ambiente empresarial. A Covid-19, no entanto, acelerou esse processo de maneira exponencial e surpreendente.

Atônitos pela busca de soluções para retomar a "normalidade", iniciou-se uma corrida rumo ao desenvolvimento de uma vacina que controlasse o vírus. Em uma orquestração nunca vista, diversos atores em todo o planeta uniram-se na busca de um imunizante efetivo que diminuísse os impactos da pandemia.

O desfecho dessa corrida e seus resultados iniciais devem ser interpretados como uma metáfora para entendermos as transformações sociais e seus impactos no mundo do trabalho.

A primeira vacina aprovada para uso emergencial no Reino Unido e no Food and Drug Administration (o FDA, agência reguladora dos Estados Unidos, órgão similar a Anvisa no Brasil) foi a desenvolvida pelos Laboratórios Pfizer e BioNTech. O projeto levou, desde seu início até sua consolidação, dez meses para se transformar em realidade. Não havia precedentes na história em relação a uma vacina que tenha sido desenvolvida em tempo similar.

Até o momento, o imunizante que havia sido desenvolvido mais rápido foi o da caxumba, o qual foi concebido por Maurice Hilleman. O famoso microbiologista americano, responsável pela criação de mais de quarenta vacinas para animais e seres humanos, levou quatro anos para desenvolver esse antivírus. O projeto foi motivado, inicialmente, pela doença de sua filha de 5 anos, em 1963, e foi licenciado em dezembro de 1967. Até hoje a vacina administrada para caxumba tem como base os estudos de Hilleman.

No fim de 2020, pesquisadores do projeto Our World in Data, da Universidade de Oxford, no Reino Unido, publicaram um artigo comparando o tempo entre a detecção dos agentes causadores de dezesseis doenças e o ano em que uma vacina contra eles fora aprovada nos Estados Unidos. Em apenas um dos casos, a do sarampo, o processo levou, no mínimo, dez anos. Em todos os outros, o tempo excedeu esse período e levou, em muitas situações, décadas.

Não à toa tem se popularizado a visão de que o desenvolvimento da vacina contra a Covid-19 transformou dez anos em dez meses. E não foi apenas o imunizante da Pfizer e da BioNtech que foi viabilizado em tempo recorde. Em sequência, outras opções foram autorizadas pelos principais órgãos reguladores do mundo, por exemplo, as de Oxford com a AstraZeneca, a CoronaVac (Instituto Butantan e Sinovac) entre cerca de doze possibilidades viáveis.

É importante frisar que não existe padrão que defina período predeterminado para se desenvolver imunizantes. Basta constatarmos que esse recorde pertencia a uma vacina produzida na década de 1960. Considerando que de lá para cá houve muitos avanços tecnológicos na medicina, observamos que não se trata apenas de uma questão de competência técnica e capacidade. Muitos outros fatores influenciam esse processo. Independentemente disso, está claro que estamos diante de um acontecimento único que destoa muito do padrão convencional. As raízes para esse feito são muitas.

A principal delas, evidentemente, é a dramaticidade e o ineditismo dos efeitos da pandemia na saúde pública e na economia em todo o mundo. Esses impactos fizeram recursos financeiros robustos serem destinados para o desenvolvimento de estudos e de projetos voltados à tentativa de solucionar esse problema em todo planeta (literalmente). A forte geração de investimentos para iniciativas dessa natureza acelerou o processo.

Além do forte afluxo de capital, a comunidade médica tem ciência de que, por mais paradoxal e bizarro que possa soar, houve uma "sorte" no fator gerador dessa pandemia. O fato de ela ter sido gerada pelo coronavírus, e não por outro tipo de microrganismo, foi decisivo para a abreviação do processo, uma vez que a família desse vírus já havia dado as caras nos últimos vinte anos com a epidemia de síndrome respiratória aguda grave (*severe acute respiratory syndrome*, Sars), em 2002, e a síndrome respiratória do Oriente Médio (*middle east respiratory syndrome*, Mers), em 2012. Com isso, os cientistas já conheciam a biologia dessa família de vírus, o que trouxe uma vantagem inicial importante no desenvolvimento dos imunizantes.

É necessário, no entanto, irmos além dessa causalidade e do forte fluxo de investimentos para trazermos dois outros fatores que são uma referência irretocável dos novos tempos em que vivemos, e que são centrais para nossa tese.

De acordo com o mesmo artigo da Universidade de Oxford, o principal motivo da diminuição do tempo para desenvolver essas vacinas mais recentes são os avanços tecnológicos do último século. Essa perspectiva se aplica tanto à evolução da microbiologia e dos tipos de desenvolvimento de imunizantes quanto à gestão das informações geradas e compartilhadas em todo o processo por inúmeras equipes localizadas remotamente. Ou seja, a elaboração das vacinas foi fruto de um trabalho planejado e coordenado por uma extensa comunidade on-line de especialistas de diversas organizações em todo o planeta que compartilharam, em tempo real e por meio de plataformas digitais, protocolos, insights e conhecimento com base em suas pesquisas.

Sem as tecnologias de comunicação (que têm em sua base a internet) seria impossível conquistar a celeridade necessária no fluxo de informações e descobertas.

Do mesmo modo, tecnologias emergentes, como computação em nuvem, *big data*, inteligência artificial, entre outras, propiciaram alta capacidade de processamento das informações para geração de novos achados e conhecimento. É um equívoco, porém, colocar na conta da tecnologia os benefícios desse avanço. A tecnologia é o meio. Ela por si só não gera valor algum.

Em sinergia com o avanço tecnológico, um fator foi decisivo para conquistar mais agilidade na evolução desse empreendimento: a maneira como as equipes trabalharam e como o projeto foi organizado.

Tradicionalmente, a produção de qualquer imunizante ou medicamento envolve o encadeamento de certas etapas que são realizadas uma após a outra. O objetivo é certificar-se da evolução do projeto para não correr o risco de perder investimentos em um produto que não atenda aos rigorosos requisitos para ser disponibilizado ao mercado. Com isso, há uma sequência obrigatória nas conexões de uma atividade a outra, fortalecendo a hierarquização do fluxo de informações – isso resulta, por sua vez, em maior tempo na evolução dos projetos.

Devido à urgência do processo, a comunidade científica mundial adotou outro procedimento: realizou as diversas etapas do estudo paralelamente, sem o tradicional padrão das camadas ou fluxos verticais. Esse arranjo teve como pré-condição um forte sistema de colaboração entre as diversas equipes de trabalho e um cuidado severo com o compartilhamento e a gestão de informações entre todos os participantes dos projetos.

Só foi possível viabilizar esse novo sistema devido a duas decisões importantes tomadas globalmente, as quais destravaram o processo: a redução da burocracia, que sempre foi inerente a programas como esse, e a opção pelo desenvolvimento do projeto de maneira inovadora para os padrões vigentes.

As evidências mostram que a demora no desenvolvimento de imunizantes da maneira tradicional não acontece em razão da lentidão nos testes realizados em seres humanos. Ela é consequência da gestão das etapas intermediárias de natureza mais burocrática com atividades como as autorizações dos diversos agentes, solicitações de investimentos e assim por diante. Além disso, levam tempo as negociações com potenciais fabricantes, a formação de equipes dedicadas aos programas e outras ações que não estão relacionadas diretamente com o projeto essencial de desenvolvimento da vacina.

Ao traçarmos um paralelo desse universo com o contexto empresarial, encontraremos semelhanças claras de um sistema que, tradicionalmente, é regido por uma lógica muito similar: processos verticalizados, forte presença da burocracia visando controlar o processo de tomada de decisões, estruturas fortemente hierarquizadas, entre muitos outros.

Se substituirmos o êxito do modelo de desenvolvimento dos imunizantes pelo efeito gerado por startups ou por jovens companhias que introduziram novos formatos de trabalho e gestão no ambiente empresarial, teremos uma dinâmica similar: essas empresas estão realizando tarefas e resolvendo problemas de maneira exitosa com uma agilidade incrivelmente mais expressiva do que as organizações tradicionais. A lacuna existente entre esses dois universos, em algumas situações, é tão representativa que gera questionamentos sobre a sua lógica – encontramos essa mesma dinâmica nos questionamentos, por alguns grupos, sobre a rapidez do desenvolvimento das vacinas.

A adoção tecnológica e a revisão de processos que resultaram no desenvolvimento em tempo recorde das vacinas contra a Covid-19 deve servir como metáfora desses novos tempos, apontando caminhos de uma jornada que veio para ficar. O mundo do trabalho transformou-se definitivamente devido à tecnologia e é requerido um novo sistema de pensamentos, uma nova filosofia para lidar com esse ambiente.

NOVOS TEMPOS, NOVOS LÍDERES

Está no centro dessa dinâmica a mandatória necessidade de arquitetarmos novas referências para o modelo de liderança. Reiteramos: não é plausível, e chega a soar ingênuo, a insistência por manter um padrão existente há séculos em um ambiente tão díspar do original.

O modelo clássico de liderança sempre esteve baseado na lógica que ficou popularmente conhecida como "comando e controle". Segundo essa visão, o líder deve exercer seu papel de modo a garantir o maior controle possível das variáveis centrais do negócio, controlando, assim, suas atividades-chave. Esse conceito pressupõe alto nível de centralização do processo de tomada de decisões e hierarquização das atividades nas mãos de especialistas que, com o tempo, traduziram-se em áreas funcionais com focos muitos específicos.

É inegável que esse sistema foi bem-sucedido ao longo das últimas décadas, já que o ambiente empresarial se movia de modo muito mais estável, previsível e controlado. O modelo de comando e controle está totalmente alinhado a essa lógica que não só regia o ambiente empresarial, mas também a sociedade como um todo. Como o ambiente não recebia impactos importantes em seu eixo central e essencial, as operações tendiam a ser muito mais estáveis e previsíveis.

Esse ritmo mais lento das mudanças gerava um repertório duradouro e consolidado para os líderes que detinham mais conhecimento do que seus colaboradores sobre as condições operacionais do negócio e suas potenciais soluções. Assim, aqueles que ocupavam cargos hierarquicamente superiores tinham uma compreensão mais abrangente e especializada do sistema de gestão da empresa do que suas equipes, conferindo a eles autoridade e convicção sobre suas decisões.

O principal objetivo para conquistar estabilidade era o controle integral do negócio, então o modelo de autoridade centralizada ajudava a dar conta de um volume maior de decisões a serem tomadas, que ficavam concentradas nas mãos de quem tinha mais poder.

O resultado dessa composição tinha como um dos objetivos centrais a conquista de mais escala com a padronização de todos os procedimentos operacionais. Considerando a baixa velocidade das mudanças, a adaptação ao ambiente ostentava um perfil muito mais sólido do que volátil – o que sedimentou, de modo bastante generalizado, um modelo que deu as cartas no ambiente empresarial e forjou o padrão tal qual conhecemos e nos acostumamos.

Essa dinâmica fazia o líder desempenhar o papel de gestor com a principal responsabilidade de maximizar os resultados da organização, zelando pela otimização na alocação dos recursos disponíveis. Recorrendo a uma visão popular: cabia ao líder "bater o bumbo" para todos na organização, percorrendo o caminho previamente enunciado e evitando percalços ou desvios nessa jornada.

O problema é que, atualmente, as pré-condições necessárias para a prosperidade desse sistema não estão mais presentes. A estabilidade é uma abstração em um mundo dirigido cada vez mais pela tecnologia e pelas novas formas de gestão. Nesse ambiente, o conhecimento secular é desafiado por outros conteúdos mais alinhados a esses novos tempos, o que impede que agentes organizacionais, independentemente de seus papéis, detenham a primazia de ter mais repertório do que outros indivíduos. O repertório requerido para lidar com essa dinâmica muda frequentemente.

Essa tese leva por terra a centralização do processo de tomada de decisões na mão de poucas pessoas, podendo resultar em menor assertividade do que no passado.

E, por fim, a padronização excessiva das atividades tem baixa aderência à volatilidade do meio cuja adaptação está muito mais calcada em um processo de experimentos e testes na busca por novos padrões mais alinhados aos movimentos do ambiente do que em uma estrutura inflexível e estável. Com essa nova dinâmica, o líder que está exclusivamente dedicado ao papel de gestor adota um padrão de liderança incompleto, já que não responde às novas demandas do contexto (lembre-se: o contexto é o reino).

A adaptação a esse novo contexto requer, portanto, que seja instituído um sistema de gestão menos hierarquizado e capaz de engajar mais colaboradores no processo de reflexão estratégica.

O modelo excessivamente verticalizado afasta as pessoas responsáveis pelo processo de tomada de decisões daquelas que estão em contato com o dia a dia do negócio. Isso é um risco, na medida em que, com frequência, aqueles que testemunham as mudanças não são os mesmos que tomam decisões. É necessário, então, envolver mais pessoas na formulação das estratégias corporativas. O líder deve orquestrar as pessoas para a obtenção de agilidade com assertividade.

Essa reorganização do sistema de gestão não deve ser realizada de maneira tresloucada ou inconsequente. Cabe ao líder comandar uma reflexão sobre a estruturação de um novo sistema de governança para a organização que lidera. Mesmo considerando que o modelo tradicional de governança corporativa não acompanhou a velocidade das mudanças, é inaceitável conceber um sistema que não proteja a empresa dos riscos inerentes à sua ação.

Ao líder cabe a responsabilidade de estruturar um modelo que não leve a um processo decisório excessivamente lento e conservador, impedindo que a organização seja presa fácil de novos concorrentes, além de garantir maior proteção e menor exposição aos riscos advindos de seu ecossistema. Sem esse equilíbrio, sua capacidade de gestão e resposta aos impactos do mercado estarão vulneráveis.

Um dos maiores desafios do líder nesse novo ambiente é adaptar-se e adaptar sua organização a essa nova lógica de negócios que colapsou as estruturas tradicionais. É por esse motivo que as competências clássicas relativas à liderança não são suficientes para formar um líder alinhado com esse ambiente.

As habilidades tradicionais não deixaram de ser importantes e fundamentais, porém é necessário introjetar um novo conjunto de competências que contribuam para práticas mais afinadas com as demandas atuais.

É imperativo compreender claramente o desafio que essa evolução representa para aqueles que não estão habituados a um contexto intensamente disruptivo e transformador. Isso porque o cérebro humano evoluiu em um ambiente local e linear. Local, já que tudo com o que interagíamos ficava a menos de um dia de caminhada. Linear, pois nos acostumamos a um ambiente com um ritmo de mudanças lento e estável.

Agora vivemos em um mundo global e exponencial. Global, porque, se algo acontecer do outro lado do planeta, saberemos em questão de segundos (e nossos computadores vão processar isso milissegundos depois). Exponencial, uma vez que a velocidade das mudanças atinge uma escala colossal.

Em contrapartida, o cérebro humano não foi projetado para essa escala e velocidade. E o pensamento local e linear, que fez sentido no ambiente empresarial desde a Revolução Industrial, parece não servir mais. A questão é que a mentalidade de todo líder evoluiu com base nessa perspectiva e nessa dinâmica, que se caracteriza por um fluxo contínuo de encadeamento de ideias. A convergência atual requer, entretanto, maior capacidade de conexões em um modelo mais dinâmico que paraleliza uma série de possibilidades tendo como alvo um objetivo comum.

O conjunto de novas competências a serem desenvolvidas pelo líder funcionam em rede, são interconectadas e interdependentes, compondo a nossa constelação da liderança.

Na introdução deste livro, mencionamos que nossa constelação é composta por oito elementos. Cada um deles tem um significado ímpar, porém, juntos, exponenciam seu poder. Para garantir que essa "exponencialidade" se expresse de fato, é requerida uma instância que correlacione todos esses componentes.

O PAPEL DO LÍDER CONECTOR

Nossa inspiração para essa visão é o valor que Steve Jobs promovia, com frequência, sobre conectar os pontos (em inglês, *connecting the dots*). O fundador da Apple levava essa visão tão a sério que o título de seu cartão de visitas o apresentava como um CIO, um *chief integration officer* (algo como "líder de integração", em português) em detrimento da clássica nominação de CEO.

O líder conector amarra todas as dimensões do nosso modelo de liderança, evitando a adoção de uma visão desintegrada de seus elementos e que despreze a correlação indispensável entre eles.

Na obra *Gestão do amanhã* evidenciávamos a relevância desse perfil e definimos, em detalhes, suas características, explorando a visão do líder conector como criador de ligações entre áreas dentro da organização. Para isso, o líder conector pratica a colaboração, a experimentação e o empreendedorismo, além de engajar todos os colaboradores no mesmo propósito.

Ao adotar esse papel, estrutura as bases para fortalecer uma visão unificadora alinhada a todos na organização com a mesma perspectiva. Esse líder faz com que todos sonhem o mesmo sonho. Assim, novas perspectivas florescerão, tendo em vista que diversos protagonistas estão contribuindo para a mesma realização. Líderes conectores desenvolvem a habilidade de unir todos em prol do mesmo objetivo.

Essa liderança pressupõe aliar dois vetores opostos, mas que são, na realidade, interdependentes: diferenciação e integração. O líder conector dedica-se à construção de um contexto em que as singularidades do indivíduo emergem orientadas a um propósito único representado pela visão corporativa da empresa. Por isso ele é, sobretudo, um gestor de especialistas.

Cabe a ele certificar-se de que todas as áreas e os experts da organização estejam conectados entre si e alinhados na mesma direção, acompanhando de perto os resultados gerados por esse processo.

Para dar conta de toda essa demanda, nutre um repertório vasto com ampla largura de banda intelectual, mas não apenas isso. Também se dedica à execução disciplinada dos projetos em que se envolve. Não basta ter a ideia, é necessário executá-la com excelência também.

É esse foco no negócio que introduz outra perspectiva central nesse modelo. Ele conecta e orquestra toda a potencialidade da organização com as demandas do mercado, o comportamento de seus clientes e as tendências de consumo.

O líder conector não apenas conecta os especialistas dentro da organização como também faz ligações adequadas dos talentos e das competências essenciais da companhia com o mercado consumidor. Não obstante, é imprescindível um profundo conhecimento do negócio no qual está inserido, sua potencialidade e suas perspectivas.

O volume de estímulos e possibilidades nesse novo ambiente é muito expressivo. Sem esse nível de consciência sobre o empreendimento que conduz é impossível catalisar conhecimentos tão distantes de seu núcleo central. Essa profundidade não diz respeito unicamente aos fundamentos do negócio, mas, e sobretudo, ao entendimento da essência da organização, de suas crenças e de sua filosofia. Ou seja, à sua cultura organizacional.

O líder é o principal guardião da cultura de um negócio, e é essa instância que integra todos os esforços da companhia, fortalecendo o conceito de ideia unificadora. Funciona como uma estrela-guia para todos os componentes daquele agrupamento de pessoas – demonstramos isso em detalhes na obra *O novo código da cultura*.

A visão do líder conector é central para esse modelo, uma vez que, além de todas as questões que já exploramos aqui, coloca esse indivíduo no papel de orquestrador de uma dinâmica complexa e não simplesmente de um gestor de uma obra pronta.

Esse líder traduz a visão de uma sociedade interconectada e rica em estímulos. Ele é estimulado a pensar em redes, e a não fazer tudo sozinho. Essas redes, por sua vez, não são apenas compostas pelos recursos internos, elas trazem a possibilidade de interação com agentes externos em parcerias e arranjos de negócios inusitados para o pensamento convencional.

John Chambers, em sua obra *Connecting the Dots* [Ligando os pontos, em tradução livre] – note como ele é um defensor incontestável dessa visão –, afirma que o poder de uma rede não se reflete apenas no número de pessoas ou de dispositivos conectados a ela, mas também na força gerada e derivada das conexões existentes nesse sistema.

Uma empresa é, acima de tudo, um grande ecossistema. Cabe ao líder conector estruturar essa arquitetura e, principalmente, integrar todos os agentes desse sistema para gerar conexões de valor.

Ao longo de sua experiência como CEO, Chambers comenta que, para ele, visão, estratégia e execução são como um jogo de xadrez. Para que seja possível fazer uma boa jogada, é necessário ter o jogo inteiro na cabeça e pensar diferentes cenários e possibilidades para antecipar não apenas seu movimento, mas também os do adversário.

Essa possibilidade envolve a indispensável capacidade de entender o panorama geral no qual o indivíduo está inserido (o termo em inglês, *big picture*, traduz essa essência). A partir dessa perspectiva é possível ver como diferentes tendências se cruzam para definir quais os melhores caminhos a serem seguidos. Ao líder cabe assumir esse papel na medida em que tem o acesso a esse panorama geral.

Conforme apresentamos na introdução desta obra, o exercício de liderança ganha complexidade crescente inserindo em sua agenda novas perspectivas e referências. Mexe, principalmente, com o entendimento do indivíduo sobre o que significa ser um líder.

Essa reflexão pessoal é a base para ressignificar seu entendimento de seu papel ao assumir essa posição. Em termos pessoais, trata-se de uma vigorosa combinação de curiosidade, autoconfiança, sociabilidade, gestão e humildade.

Chambers comenta que sua experiência mostra que a maioria dos líderes é curiosa. Eles não fazem muitas perguntas, não desafiam a sabedoria convencional, contentam-se com o que sabem e muitas vezes recorrem a fontes que reforçam pontos de vista já existentes. Esses comportamentos são fruto de um mundo que não existe mais.

Caminhamos para uma nova jornada representada por nossa constelação da liderança. O líder conector é quem dá a base e interliga seus componentes, valorizando a singularidade de cada um deles e garantindo, ainda, a sinergia entre as partes.

Ao longo de nossa jornada neste livro, essa perspectiva ficará clara. Vamos navegar em profundidade ao longo de cada um dos oito componentes de nossa constelação. É importante salientar que não existe hierarquia entre eles, todos têm relevância e mérito de acordo com sua especificidade.

Assim, você pode ler, individualmente, cada dimensão e dedicar-se ao entendimento de sua peculiaridade à medida que realiza uma interpretação global e percebe as correlações entre as partes. A opção é sua.

Vamos iniciar nossa jornada explorando a dimensão do líder exponencial. Se desejamos ter organizações crescendo exponencialmente, precisamos ter um líder que pense dessa forma.

No próximo capítulo, vamos nos aprofundar nesse entendimento.

ACESSE O QR

Quer saber mais sobre o líder conector? Acesse https://gestaodoamanha.com.br/app/lideranca-disruptiva/conheca-a-constelacao-da-lideranca ou aponte a câmera do seu celular para o QR Code ao lado e confira um conteúdo exclusivo!

O líder é o principal guardião da cultura de um negócio e é essa instância que integra todos os esforços da companhia, fortalecendo o conceito de ideia unificadora.

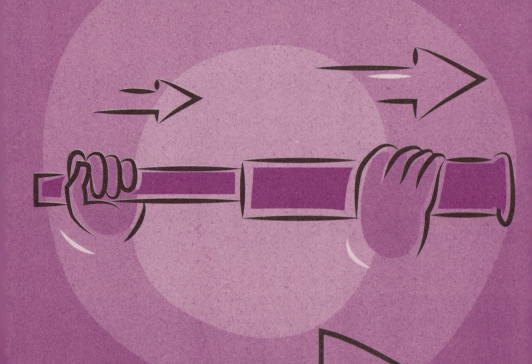

CAPÍTULO 2
O LÍDER EXPONENCIAL

Silvio Meira é uma das mentes mais instigantes do mundo empresarial brasileiro, sobretudo no que diz respeito à tecnologia e seus impactos na sociedade. Cientista, professor emérito na Universidade Federal de Pernambuco (UFPE) e empreendedor, foi um dos idealizadores do Porto Digital, um dos *hubs* pioneiros em inovação no Brasil, além de ser um dos fundadores do Instituto de Inovação CESAR, que oferece importante contribuição para a aproximação entre negócios e tecnologia.

Em nossa conversa, Meira nos trouxe uma visão assertiva acerca de uma das responsabilidades centrais do líder atualmente: capturar o futuro para o presente. Essa é uma atribuição eminentemente humana, visto que a tecnologia por si só captura o passado por meio de algoritmos e leitura de dados.

Essa sagaz observação de Meira implicitamente vem de encontro a um comportamento presente na gestão tradicional há muito tempo. Ele representa um dos maiores riscos no contexto atual: o forte foco em resultados de curto prazo por parte da organização e seus líderes. A forte predominância de ações e de estratégias destinadas a gerar resultados de curto prazo na organização está presente no receituário de sucesso das organizações desde que as empresas existem.

Essa orientação quase obsessiva sempre fez sentido em um ambiente de pouca volatilidade em que "as cartas já estavam na mesa" e o risco de novidades no horizonte era baixo. Não é por acaso que sempre prevaleceu a filosofia do forte foco na eficiência operacional e na alta aversão ao risco de inovações.[4] O objetivo era diminuir ao máximo toda e qualquer exposição da empresa, controlando todos os meios produtivos de sua cadeia de valor.

Essa tendência está evidenciada em pesquisas como a realizada por Boris Groysberg, Jeremiah Lee, Jesse Price e Yo-Jud Cheng, que contou com mais de 1.300 executivos atuantes em mais de 230 empresas em todo o mundo e teve como objetivo identificar o tipo de cultura predominante nas organizações a nível global.

A pesquisa, intitulada How to Shape your Culture [Como moldar sua cultura, em tradução livre] e publicada na edição de fevereiro de 2018 na revista *Harvard Business Review*,[5] concluiu que 89% das empresas entrevistadas têm como estilo preponderante a chamada "cultura de resultados". Os autores definem esse tipo de cultura como aquela que se caracteriza por um "ambiente de trabalho orientado a resultados, conquistas, realizações e baseado no mérito".

Chama a atenção a alta prevalência de quase 90% dessa modalidade em relação aos oito estilos de cultura enunciados no estudo – *aprendizado, propósito, cuidado, ordem, segurança, autoridade, resultados e satisfação* – e evidencia uma perspectiva clara: ainda é preponderante nas empresas uma lógica eminentemente tarefeira, focada na geração de resultados imediatos com uma orientação "curto-prazista".

Não haveria problema algum com essa estratégia, desde que não houvesse as mudanças já enunciadas no ambiente empresarial. São essas movimentações de fundo estrutural que fragilizam a solidez do modelo tradicional, à medida que este gera inflexibilidade e rigidez.

A liderança, até então modelada sob essa ótica, é pega de sobressalto na nova dinâmica, provocando uma ação em outras dimensões, uma vez que, atualmente, a manutenção do *statu quo* confronta um dos principais objetivos dos líderes: a perenidade e a sustentabilidade da organização liderada.

Resgatando a proposição de Meira, uma orientação altamente voltada ao curto prazo não consegue capturar o valor do futuro, trazendo-o para o presente. Não se trata de demonizar o foco na geração de resultados imediatos. Pelo contrário, há de se considerar que é fundamental que todas as organizações preservem e fortaleçam sua eficiência operacional e zelem por atingir a melhor performance possível e a gestão adequada de seus recursos. Essa visão é básica e indispensável a líderes ou gestores.

É obrigatória, no entanto, a reflexão propositiva sobre um modelo que equilibre o balanço de forças, trazendo uma nova perspectiva de evolução para a empresa, tendo em vista seu crescimento sustentável. Uma organização extremamente focada no presente está rifando sua evolução no futuro, dado que o ambiente evolui com uma velocidade espantosa.

O mercado empresarial é pródigo em exemplos de companhias que perderam seu vigor por negligenciar uma visão mais ambiciosa e corajosa sobre o futuro de seu mercado. Simon Sinek, no livro *O jogo infinito*, rememora a trajetória de uma empresa vencedora de outrora que, atualmente, tem um terço do tamanho inicial.

Em 2007, a Garmin atingiu seu apogeu. Fundada nos Estados Unidos em 1989, a empresa especializou-se no segmento de instrumentos de geolocalização e foi a pioneira no desenvolvimento de equipamentos de GPS para todos os públicos: desde os de alta precisão para profissionais especializados até os utilizados por cidadãos comuns no deslocamento em metrópoles.

O foco da organização sempre esteve na excelência de seus produtos, e essa visão se evidenciava no enunciado de sua missão: "Seremos líderes globais em todo mercado em que servirmos, e nossos produtos serão procurados devido ao design atraente, à qualidade superior e ao maior valor agregado". Essa missão, excessivamente orientada ao desenvolvimento de produtos (note que em seu enunciado não há uma palavra sequer sobre o cliente), teve como consequência o desenvolvimento de dispositivos de GPS cada vez mais precisos para carros, barcos e outros meios de locomoção.

Tudo seguia muito bem, e a empresa prosperava solidamente até o momento em que os smartphones foram ficando mais confiáveis e eficazes. Com essa evolução, os clientes passaram a ter menos necessidade de utilizar outros equipamentos para fazer diversas atividades, entre elas as que demandavam geolocalização. E isso explica a redução de tamanho da Garmin de 2007 para 2019.

A tendência, evidentemente, é responsabilizar a ascensão dos smartphones pelo declínio. Porém as evidências apontam que, ao direcionar esforços excessivos para o desenvolvimento de produtos, a organização e seus líderes abriram mão da busca de uma compreensão profunda do comportamento dos clientes e da construção de uma visão de futuro ambiciosa que fosse além de seu portfólio.

Se esses líderes exercitassem uma visão mais flexível, poderiam ter desenvolvido novas proposições orientadas à integração da Garmin a essa nova modalidade que emergia com força, sobretudo a partir de 2007 com o lançamento do iPhone. Em vez disso, a companhia continuou se concentrando no modelo de negócios tradicional com foco na comercialização de hardware para equipamentos existentes. Quem ocupou o novo espaço gerado com os smartphones foram aplicativos como Google Maps, Waze, entre outros. Esse espaço não poderia ser da Garmin?

O movimento de testar novas possibilidades envolve alto risco para a organização, uma vez que demanda o desenvolvimento de novas competências e habilidades. Porém, qual foi o maior risco para a organização? Ficar parada extraindo a maior valia dos seus recursos existentes de maneira mais imediata ou arriscar buscando inovação? A visão de curto prazo torna estreita a perspectiva do negócio. Enquanto a empresa restringe sua orientação estratégica a um conjunto limitado de circunstâncias, ela não consegue acompanhar movimentos consideráveis que têm presença marcante na evolução do ambiente: as chamadas transições de mercado.

Na obra *Connecting the Dots*, John Chambers define que as transições de mercado são reconhecidas como um período de passagem de um estado para outro, em que as habilidades necessárias para fazer seu trabalho mudam, o cliente avança para uma nova tecnologia ou a economia adota um novo modelo.

Essa condição de mercado está cada vez mais presente em nosso ambiente empresarial, tendo em vista que a tecnologia introduz novos modelos de negócios e soluções que reinventam o comportamento dos clientes e mudam o modo como eles se relacionam em setores inteiros, por exemplo, o de transporte, saúde e educação.

Líderes ficam tão focados no jogo em que estão que sequer percebem que há um novo jogo tomando forma e que está prestes a mudar totalmente as regras atuais.

Em muitas situações, como a da Garmin, essa miopia corporativa é derivada de uma obsessão exclusiva no desenvolvimento de produtos ou serviços sem uma observação atenta do comportamento dos clientes que evolui em outras direções. Paradoxalmente, esse esforço gera produtos e serviços que são o estado da arte em suas categorias, mas que se tornam obsoletos em consequência das mudanças no padrão de consumo.

É responsabilidade do líder desenvolver um pensamento ambicioso orientado ao desenvolvimento de possibilidades que alavanquem o futuro do negócio, assim como implementar um sistema que coloque a organização à frente das próximas ondas evolutivas, mapeando possibilidades e perspectivas que gerem rupturas em seu setor de atuação e negócio.

Grandes líderes têm a habilidade de imaginar o futuro da companhia de maneira ousada e ambiciosa ao definir objetivos arrojados que vão além de uma orientação de curto prazo, tática e tarefeira. São líderes preocupados com questões maiores que transcendem os próprios interesses, focando a atenção nas tendências de longo prazo para descobrir o que é mais relevante agora e por quê.

Para que esse ciclo seja completo e efetivo, esse líder desenvolve alta capacidade para envolver seus colaboradores nessa mesma dimensão. Ele incentiva e envolve todos nessa filosofia, que, consequentemente, gera maior performance, pois todo indivíduo deseja sentir-se engajado e energizado por suas contribuições. A construção de uma visão ambiciosa de longo prazo tem o potencial de inspirar as pessoas e de incrementar seu envolvimento e sua proatividade.

Reunimos essa filosofia no perfil do líder definido como o líder exponencial. Esse termo foi adotado pela Singularity University para conceituar o indivíduo apto a liderar no mundo exponencial.

UM MUNDO DE POSSIBILIDADES

Líderes exponenciais são agentes de mudanças que impulsionam a organização além dos seus limites e fronteiras. São responsáveis por desenvolver uma visão de futuro ambiciosa para estabelecer um clima e uma cultura organizacional que promovam aprendizado, adaptabilidade e velocidade.

De acordo com a Singularity University, esse líder desenvolve habilidades e uma filosofia assumindo diversos papéis:

FUTURISTA

Cria previsões e imagina possibilidades futuras criativas, aplicando uma compreensão profunda das tendências emergentes em meio à crescente complexidade e mudança.

É responsabilidade desse líder ir além da visão projetada do negócio por meio de previsões numéricas e de planilhas. Ele adota uma mentalidade que entende que o futuro da organização não será uma extensão do que conhecemos hoje nem uma nova versão dos eventos passados, tendo em vista que o ritmo da mudança não se move em linha reta.

Ao assumir esse papel, o líder sente-se igualmente confortável com o que é conhecido e com a exploração do que é desconhecido.

TECNÓLOGO
Entende, antecipa, utiliza e adota as implicações tecnológicas, éticas e morais das tecnologias individuais e exponenciais convergentes.

A melhor maneira de entender a mudança tecnológica não é ler sobre ela, mas experimentá-la em primeira mão, testando e validando as possibilidades que as novas tecnologias tornam viáveis com o uso de algoritmos, inteligência artificial, *big data* etc. Nesse papel, o líder se dedica a introjetar essa prática de promover experimentos em sua rotina (vamos notar a sinergia desse papel com o líder algorítmico de nossa constelação).

GERADOR DE IMPACTO
Esse tipo de líder prevê e implementa enormes oportunidades, que são viabilizadas quando tecnologias exponenciais são aplicadas para resolver problemas desatendidos da sociedade e dos mercados.

INOVADOR
Ele incorpora o espírito empreendedor para construir soluções por meio de práticas de empatia, prototipagem rápida, projeção futura, fabricação e iteração.

Note como a construção de uma visão ambiciosa de longo prazo para a organização vai muito além da perspectiva da projeção de um futuro promissor para o negócio. Envolve um conjunto de habilidades e competências que viabiliza a construção de proposições concretas possibilitadas pela adoção da tecnologia e pela construção de hipóteses de negócios que excedem o receituário clássico.

Um dos objetivos centrais da ação do líder exponencial é manter a organização à frente das movimentações de mercado (capturar o valor para o presente). Para isso, é requerido que utilize todos os recursos disponíveis que o auxiliem na rápida tomada de decisões e execução dos planos.

Essa agilidade é conquistada ao orquestrar todos os agentes do sistema de gestão da empresa, obtendo os processos e ativos certos para escalar com sucesso sua evolução.

Adotar essa postura, no entanto, envolve riscos, já que considera abraçar o desconhecido desbravando novos territórios e dinâmicas. O líder exponencial transforma o ônus por esse temor em oportunidades ao reconhecer que, se por um lado, o mundo nunca foi tão ambíguo e intimidante, por outro, nunca foi tão repleto de oportunidades como atualmente. Desbravar o mundo do desconhecido permite ao líder exponencial liderar os outros para fazer o futuro acontecer em um mundo de possibilidades.

É importante reconhecer que, a despeito da natureza excitante dessa visão, não é fácil sentir-se tranquilo com o desconforto de não ter uma perspectiva mais assertiva sobre as variáveis de gerenciamento habituais.

Inegavelmente, a estabilidade da dinâmica tradicional gera uma percepção de perda menor e uma atração natural à zona de conforto. No entanto, esse não é um comportamento alinhado com a dinâmica do ambiente atual. O líder deve responsabilizar-se por gerar permanente inquietude para mobilizar sua equipe rumo a esse novo espaço. Jeff Bezos, fundador da Amazon, personifica como poucos esse papel.

Tivemos uma deliciosa conversa com David Niekerk, o primeiro líder de RH da Amazon, empresa em que ingressou em 1999 e atuou por dezesseis anos interagindo diretamente com o fundador.

David falou de uma das frases mais recorrentes que funciona quase como um mantra de Bezos: toda companhia caminha para a mediocridade. Ao enfatizar essa visão, seu líder principal buscava prevenir que a própria companhia percorresse o caminho da mediocridade, buscando constantemente a inovação, o pioneirismo e a reinvenção contínua.

Por trás dessa provocação ácida de Bezos, está sua própria constatação de que a maior parte das organizações, ao ser bem-sucedida, opta por seguir o modelo vigente, parando de se reinventar e, sobretudo, de se preocupar genuinamente com o cliente. Seus esforços migram para a gestão e os recursos internos. Esse é um território mais confortável, de domínio mais seguro. É para fugir do aconchego desse espaço que o líder exponencial adota uma nova filosofia que enxerga o mundo como ele é e não como ele gostaria que fosse, desenvolvendo uma mentalidade aberta a se adaptar a novas possibilidades e visões do mundo.

A psicóloga estadunidense Carol Dweck apresenta no livro *Mindset* uma tese que tangibiliza de maneira bastante clara e evidente essa nova perspectiva. A premissa principal do livro é que o mundo é dividido entre indivíduos que estão abertos a aprender e aqueles que estão fechados ao aprendizado.

Dweck define esses dois grupos como aqueles que adotam o *growth mindset* (mentalidade de crescimento) e o *fixed mindset* (mentalidade fixa). Pessoas com *fixed mindset* não estão abertas à transformação pessoal, pois tendem a acreditar que as peculiaridades de cada um são imutáveis. Essa crença gera baixa predisposição ao aprendizado, uma vez que não há uma abertura à absorção de um novo repertório e à reinvenção pessoal.

Os que adotam o *growth mindset* têm crenças de que são a antítese dessa visão. Acreditam que o mundo está em aberto e que o aprendizado é fundamental para expansão dos limites de sua ação. Eles consideram que o futuro apresenta oportunidades de crescimento até em situações instáveis e de crise, impulsionando-os à construção de novas proposições e possibilidades como vetor de seu desenvolvimento e evolução pessoal.

Uma recente jornada corporativa protagonizada por um líder exponencial nos ajuda a compreender essa tese na prática. Em 2013, Satya Nadella assumiu a posição de CEO da Microsoft com um imenso desafio: recuperar a empresa que, outrora, fora uma das protagonistas mais relevantes do ambiente empresarial global.[6]

Essa saga mostra o quão importante foi a promoção da mentalidade de crescimento em todas as fileiras da organização para a evolução da empresa. Quando Nadella assumiu o comando da organização, teve a clara dimensão de que estava diante de uma companhia que havia perdido seu vigor ao longo dos anos. Nunca é demais lembrar que a Microsoft foi uma das pioneiras da revolução tecnológica e que ela transformou o mundo, popularizando o uso dos computadores pessoais por meio de seus softwares. Essa dinâmica, no entanto, havia perdido espaço para uma empresa, de acordo com as palavras do próprio Nadella, doente.

A despeito de uma confortável posição financeira, a perspectiva de longo prazo da companhia não era favorável, e essa percepção havia sido precificada por todos os agentes, inclusive o mercado acionário, que penalizava a empresa com o declínio constante do valor de suas ações.

Com o tempo, como consequência de um modelo excessivamente focado na obtenção de resultados financeiros de curto prazo, a empresa fechou-se em silos, com feudos sendo formados em toda a organização. Para mudar esse cenário, Nadella ancorou muito de sua estratégia de transformação do sistema de pensamento vigente com a disseminação da visão da mentalidade de crescimento.

Estimular essa mentalidade junto a seus colaboradores continuamente para que essa postura migre do indivíduo para o negócio e sua cultura está no topo da agenda de Satya Nadella, já que, mais importante do que enunciar sua relevância, é adotá-la em suas práticas e realizações.

Após nove anos de sua gestão, o contexto não deixa de surpreender. As ações da companhia mais que triplicaram nesse período. Em 2020, a empresa chegou à incrível marca de 2 trilhões de dólares de valor de mercado, revezando a liderança desse ranking com a Apple.

Por trás da escalada de crescimento da companhia está a consolidação desse novo mindset, que impulsiona sua evolução por meio da adesão de cada indivíduo a essa filosofia.

Podemos encontrar o contraponto da mentalidade do crescimento ao revisitarmos uma passagem importante da história de outra empresa lendária que não teve o mesmo êxito em sua jornada como a Microsoft tem tido.

No livro *O fim da vantagem competitiva*, a professora de gestão Rita Gunther McGrath conta uma história que presenciou pessoalmente, já que envolveu seu próprio pai, Wolfgang H. H. Gunther. Em 1979, Gunther recebeu convite para ingressar em uma das companhias mais prósperas da época: a Kodak. Em seu processo de transição para a nova empresa, foi provocado para realizar uma reflexão sobre o futuro da tecnologia e seus impactos para o negócio.

Gunther fez ampla apresentação explorando sua visão sobre um mundo dominado por novas tecnologias, no qual o filme fotográfico, principal fonte de receita da Kodak, perderia espaço para novas possibilidades, sobretudo as digitais.

Seu interlocutor, um dos principais líderes de inovação da empresa, demonstrou enorme resistência e discordância com as hipóteses apresentadas, manifestando clara contrariedade a essas teses. Ele simplesmente não conseguiu conceber uma nova realidade que considerava a possibilidade de desconstrução de toda a lógica de criação de valor existente na empresa, havia décadas, ancorada em seu modelo de negócios tradicional com a comercialização dos filmes fotográficos.

A postura desse líder simboliza o modo como a empresa resistiu às mudanças, mantendo o foco no negócio corrente sem maior proatividade, rumo a novos alicerces para o projeto.

A partir dos anos 1990, com o advento das máquinas digitais, a Kodak entrou em um declínio gradativo que se acentuou nos anos 2000 com a ascensão dos smartphones, que ocuparam o papel das tradicionais máquinas fotográficas e seus filmes. Em 2012, a empresa, que foi uma das maiores do mundo, decretou falência.

Muitos acreditam que a organização faliu em decorrência do avanço de produtos substitutos. Na realidade, o efeito da inserção desses novos jogadores foi a consequência de um sistema mais abrangente. O principal motivo da derrocada da empresa foi a adoção de uma mentalidade com baixa predisposição e abertura a um novo repertório envolvendo o confronto das crenças da organização na construção de novos cenários e de possibilidades inovadoras. A companhia foi incapaz de capturar o futuro para o presente e ficou presa a seu passado.

Presos a essa mentalidade fixa, os líderes da companhia se aferraram ao modelo tradicional sem dar espaço a novas possibilidades. Os efeitos dessa rigidez e suas consequências para a empresa impressionam ainda mais ao constatarmos que o protótipo da máquina digital, primeira responsável pela ruptura do setor, foi inventado nas fileiras da própria Kodak nos anos 1970 e ignorado, solenemente, por seus líderes.

Se essa saga aconteceu nos anos 1990, imagine os efeitos dessa dinâmica atualmente, em que a velocidade das transformações é infinitamente maior?

O QUE É E O QUE PODE SER

A mentalidade de crescimento do líder exponencial impulsiona as organizações a refletir sobre sua evolução, preservando seus resultados a curto prazo, porém com uma orientação a um futuro ambicioso adaptado às evoluções e oportunidades geradas pelo ambiente.

Uma das estratégias adotadas pelo líder para introjetar essa filosofia em seu negócio é habituar-se a pensar seu negócio em termos de uma expansão de 10× ou 100×, ou seja, refletindo sobre seu projeto em uma escala 10× ou 100× maior que a atual.

Evidentemente, um resultado em dimensão tão superior ao vigente não será obtido por meio da gestão convencional dos recursos correntes. O compromisso com essa expansão obriga o líder a imaginar um espaço futuro inexistente e a confiança de que serão superados, de maneira não convencional e com adoção tecnológica, obstáculos inéditos nessa trajetória.

Essa voracidade faz com que o líder exponencial não tenha restrições em substituir modelos existentes por novas modalidades em um padrão que valoriza a experimentação contínua derivada do senso de urgência pela adaptação a esse novo mundo.

Não há o receio de canibalizar o que já existe ou abandonar o que não está funcionando. Jeff Bezos, em sua carta aos acionistas de 2016, comenta que "se você é bom em corrigir rotas, estar errado pode custar menos do que você pensa, enquanto ser lento vai custar caro, com certeza".[7]

Está no DNA desse líder a predisposição a explorar, experimentar, aprender, ajustar-se e a cortar perdas rapidamente quando necessário. A fonte dessa experimentação contínua de novas proposições sempre é o cliente. É a partir da perspectiva de construção de valor a esse agente que toda evolução da companhia se desenvolve, visando construir uma experiência superior à sua jornada de compra.

A própria trajetória da Amazon demonstra como seu dinamismo tem como eixo central esse comportamento organizacional. Não é à toa que nos princípios da liderança da empresa o número 1 seja a obsessão pelo cliente.

Esse conceito vai além da satisfação dos clientes com o negócio; ele significa orientar toda a organização para continuamente incrementar sua experiência com a empresa. A gestão da logística, geração de dados, organização do marketplace, sistema e tecnologias: tudo envolve a visão do cliente em sua essência.

Outro empreendedor lendário notabilizou-se por rezar essa mesma cartilha. Steve Jobs, fundador da Apple, sempre foi reconhecido por ser obcecado pela excelência na experiência de seus clientes.

Uma história clássica exemplifica, de modo prático, essa dimensão de sua liderança: no lançamento da primeira versão do Macintosh, Jobs estava incomodado com a velocidade de processamento de dados do computador. Como era característico, em sua obstinação pela perfeição, o empreendedor não escondia sua insatisfação. Certo dia, ele abordou, de maneira enfática, um dos engenheiros responsáveis pelo projeto, Larry Kenyon, com uma orientação assertiva: "Você deve fazer o Macintosh inicializar mais rapidamente". Kenyon ouviu a instrução com paciência, já que não era a primeira vez que recebia essa reclamação e, mais uma vez, apresentou todos os caminhos já pensados e buscados, sem sucesso. Jobs não se satisfez com a resposta e construiu a seguinte argumentação:

> *Quantas pessoas usam o Macintosh? Um milhão? Não mais que isso. Em poucos anos, teremos cinco milhões... Vamos imaginar que você consiga diminuir em dez segundos o tempo de inicialização. Multiplique esse tempo por cinco milhões de usuários e teremos cinco milhões de segundos economizados diariamente. Em um ano, teremos, provavelmente, dezenas de tempos de vidas inteiras. Então, se você conseguir iniciar o computador dez segundos mais rapidamente, você vai salvar dezenas de vidas. Isso é o que realmente importa, não acha?*[8]

Após alguns meses, a equipe da Apple conseguiu diminuir os dez segundos para o computador inicializar.

Essa passagem da obra *The Future is Faster Than You Think* demonstra como o líder exponencial correlaciona pensamento orientado ao longo prazo com perspectiva de crescimento 10× e visão do cliente. Todos esses elementos são interdependentes na construção da mentalidade de crescimento.

São inegáveis os desafios para adotar as diversas dimensões do líder exponencial em sua prática como líder. Pensar exponencialmente é excitante, porém contraintuitivo para quem esteve habituado, por mais de cem anos, a atuar em um mundo linear, onde as coisas eram mais previsíveis, duradouras, com mudanças lentas e graduais. Nesse contexto, a tendência do líder era zelar pela sobrevivência do negócio no presente sem uma atenção maior a estabelecer as bases para um futuro distinto do modelo corrente.

Nesta nova era, há de se reconhecer que é impossível prever o futuro com clareza em todas as suas nuances. Em contrapartida, a despeito desse desafio, é imperativo preparar a organização para que ela evolua nesse espaço desconhecido, conduzindo todos os colaboradores ao futuro em vez de prendê-los ao presente. Tão importante quanto pensar o negócio como ele é, é refletir sobre como ele poderá ser.

Nessa jornada, existe um elemento que fundamenta essa caminhada: a tecnologia e a gestão de dados. Essas são as atribuições do líder algorítmico, o próximo elemento de nossa constelação da liderança.

LÍDER TRADICIONAL × LÍDER EXPONENCIAL

LÍDER TRADICIONAL	LÍDER EXPONENCIAL
Foco exclusivo nos resultados de curto prazo.	Equilíbrio do foco na geração de resultados de curto prazo com o crescimento exponencial do negócio.
Pensamento linear e local.	Pensamento exponencial e global.
Obsessão pelo desenvolvimento de produtos.	Obsessão pelo cliente.
Expansão do negócio de modo orgânico.	Expansão do negócio em escala 10× ou 100×.
Desenvolvimento rígido de planejamentos e planos de ação.	Desenvolvimento contínuo de experimentos para validar novas teses.
Foco exclusivo nos movimentos dos concorrentes.	Foco nas transições de mercado.
Temor em operar em um contexto desconhecido.	Predisposição por liderar em um ambiente incerto e ambíguo.
Mentalidade fixa.	Mentalidade de crescimento.
Mantém seu foco dedicado aos aspectos internos da organização.	É obcecado pelo foco no cliente e suas demandas.
Foco no negócio como ele é hoje.	Foco no negócio como ele poderia ser.

ACESSE O QR

Quer saber mais sobre o líder exponencial? Acesse https://gestaodoamanha.com.br/app/lideranca-disruptiva/lider-exponencial ou aponte a câmera do seu celular para o QR Code ao lado e confira um conteúdo exclusivo!

*Tão importante
quanto pensar o
negócio como ele é,
é refletir sobre
como ele poderá ser.*

CAPÍTULO 3
O LÍDER ALGORÍTMICO

Andy Harries é um dos cofundadores da Left Bank Pictures, produtora britânica premiada responsável por produções como *Outlander*, *Pais & filhos*, entre outras séries e filmes.

Em 2016, o empreendedor, inspirado pela narrativa da produção *A rainha* (Stephen Frears, 2007), desenvolveu um projeto para realizar uma série baseada na história da família real britânica. Seguindo o receituário clássico do setor, Harries fez uma peregrinação por todos os estúdios seguindo o modelo convencional de apresentação no qual o produtor apresenta sua ideia a especialistas da empresa que será parceira na produção e distribuição do material. Esse modelo pressupõe que os especialistas, líderes dessas organizações, têm conhecimento necessário para definir a viabilidade do projeto, sobretudo no que se refere à sua aceitação pelo público e audiência.

Na época, um novo *player* começava a demonstrar seu potencial: a Netflix. E, como não poderia ser diferente, o empreendedor foi levar seu projeto à companhia que já ganhava notoriedade com seu projeto de produções próprias realizadas em parcerias com produtoras independentes.

Um ano mais tarde, Harries comenta que foi um encontro estranho. Ao ser recebido por Reed Hastings, um dos fundadores da empresa e seu CEO na época, e Ted Sarandos, seu *chief content officer*, nem teve a oportunidade de apresentar o projeto completo a eles.

Mais surpreendente ainda foi a reação dos líderes da Netflix: afirmaram que estavam prontos para avançar no projeto, porém não gostariam de produzir apenas o piloto, e sim toda a série. De maneira distinta das outras empresas do setor, o time da Netflix já havia analisado os dados de sua audiência em detalhes e utilizado algoritmos para entender a performance de conteúdos similares ao proposto. Ao utilizar tecnologia para entender com precisão o comportamento de sua audiência, seus líderes tinham uma visão clara de quais conteúdos tinham mais potencial de funcionar.

Indo além de uma percepção baseada em opiniões de especialistas, esses líderes acreditavam que a série seria um sucesso, um verdadeiro blockbuster (para não perder o trocadilho da empresa que a Netflix "disruptou" há anos). A decisão se mostrou muito acertada. A série *The Crown*, que retrata os detalhes da família real britânica, é um dos maiores sucessos da história da plataforma.

Em 2020, a Netflix publicou uma informação que, desde sua primeira temporada, a série foi vista em mais de 70 milhões de lares em todo o mundo.[9] A quarta temporada ocupou o posto de série mais vista entre os dias 16 e 22 de novembro de 2020, uma semana após sua estreia.[10]

Essa história foi contada por Mike Walsh no livro *The Algorithmic Leader*, até a publicação do nosso livro, sem tradução para o português, obra que utilizamos como base para a tese do nosso líder algorítmico. Essa passagem verídica mostra como o modelo mental de Reed Hastings e seu time é radicalmente diferente do padrão adotado por líderes das empresas tradicionais de entretenimento.

Identificamos essa experiência como metáfora de um fenômeno que se espalha por boa parte das organizações clássicas em que a maioria dos líderes que está em posição de liderança atualmente foi forjada em um ambiente analógico sem ter à disposição as possibilidades derivadas das tecnologias atuais.

Houve, consequentemente, a evolução de um modelo mental caracterizado por um processo decisório baseado em opiniões, visto que as informações disponíveis para suportar essa jornada eram incompletas e imprecisas.

O exemplo de *The Crown* mostra a lacuna gerada pelos dois modelos: o tradicional e o baseado em dados. Essa distância gera consequências dramáticas para organizações, resultando em uma vantagem competitiva expressiva para aqueles que conseguem ter condições mais favoráveis de tomar as melhores decisões.

O PODER DOS ALGORITMOS

A Netflix é bem-sucedida por ser uma empresa liderada por algoritmo ou por ser liderada por líderes algorítmicos em seu negócio?

Sandra Gioffi é uma profissional experiente que sempre teve uma ação muito relacionada à área de pessoas nas organizações. Foi líder da prática de gestão de performance organizacional da Accenture – uma das principais consultorias de gestão do mundo – durante mais de dezenove anos e ocupou o posto de diretora de RH de uma das mais relevantes empresas de saúde do Brasil, além de ter uma posição de destaque como mentora, empreendedora e líder de associações de classe da área de RH.

Em nossa conversa, Gioffi foi direta: o desafio das organizações não diz respeito à falta de dados ou tecnologias, mas, sim, de um sistema de gestão que permita transformar esses dados em insights de negócios.

Dando uma apimentada nessa visão, Silvio Meira é categórico ao afirmar que, em geral, os líderes brasileiros têm pouco domínio sobre tecnologia, sobretudo em relação ao entendimento de como ela pode contribuir para a performance dos negócios. Consequentemente, tendem a terceirizar a tecnologia e seus recursos a agentes externos (consultorias e similares) ou a agentes internos especializados tecnicamente (as áreas de tecnologia das empresas).

Essa dinâmica, como demonstramos na introdução desta obra, fazia sentido no sistema de gestão clássico em que a tecnologia centralizada garantia maior especialização dessa instância em um único departamento, que era responsável por prover toda a estrutura tecnológica necessária para a empresa operar com êxito.

Quando o negócio migra para uma atuação em rede com a demanda generalizada na organização por instrumentos que garantam maior assertividade nas decisões corporativas além da geração de novas proposições, a tecnologia deve estar distribuída em todo negócio em vez de estar centralizada em um departamento ou uma área.

Os líderes da companhia devem ter uma visão clara de qual é o ciclo de vida da informação no negócio e quais são os fluxos pelos quais ela caminha e evolui. Do contrário, não será possível influenciar toda a organização com uma dinâmica mais ágil e fértil de ideias e possibilidades.

Poucos ainda têm dúvidas da premissa de que os dados são um dos patrimônios mais valiosos das organizações. Ao líder cabe desenvolver uma arquitetura que promova os dados ao centro nevrálgico de todo sistema corporativo que lidera.

Essa perspectiva não só é central como também está intrinsecamente conectada à visão do líder exponencial. Para que seja possível encontrar oportunidades com potencial de crescimento de 10× ou 100× é mandatório utilizar tecnologia e dados para mapear essas possibilidades e viabilizar a geração de negócios exponenciais.

Além do caso da Netflix, basta observar as dinâmicas de crescimento de empresas como a Amazon, com seus algoritmos que definem os principais parâmetros de seu marketplace, desde a priorização das ofertas a serem apresentadas aos clientes até os melhores modelos de precificação e logística, para entendermos o impacto da boa gestão de dados por meio da tecnologia gerada no ambiente empresarial.

Ainda está engatinhando no Brasil a adoção da tecnologia como eixo central do negócio, que, por consequência, permite a estratégia de utilização de dados como um dos principais ativos a serem gerenciados pelo líder. Essa é uma das principais conclusões que extraímos de todas as conversas que tivemos com experts do país. Essa carência faz com que exista um atraso evidente em toda a cadeia organizacional, contaminando todo o sistema e os colaboradores.

Em nossa conversa com Philip Kotler, identificamos que essa não é uma dinâmica exclusiva do Brasil, ela ocorre de maneira endêmica, impactando o ambiente empresarial de todo o mundo. O maior expert em marketing da história, incansável pesquisador, afirma que, em razão de os líderes tradicionais não terem levado o pensamento digital para o centro de sua ação, continuam se comportando de modo analógico, preservando um estilo que negligencia métricas e dados para tomada de decisões. Engana-se, no entanto, quem entende que essa premissa pressupõe que o líder deva dominar a tecnologia como um tecnólogo. Mais importante do que ser um programador é conhecer todo o potencial da tecnologia para entender sua potencialidade aplicada a seu negócio.

Silvio Genesini, um dos líderes mais respeitados do Brasil, com passagem como CEO em empresas como Oracle e Accenture, contribui com uma visão instigante a esse respeito: o líder deve ter o conhecimento necessário para aprender a tomar decisões a respeito da tecnologia e tê-la à sua disposição. Mas como é possível decidir sobre esse tema sem um repertório que lhe dê condições para suportar suas teses?

A grande questão para os líderes não é como as máquinas podem ser mais inteligentes do que eles, mas sim como eles podem estruturar organizações mais inteligentes utilizando o potencial das máquinas. Mike Walsh afirma em *The Algorithmic Leader* que essa perspectiva considera evitar etapas desnecessárias em seu sistema organizacional, impedir o desperdício de tempo ou recursos e estar aberto para novas abordagens e ideias.

Não há outra alternativa: é pré-condição para que o líder tenha sucesso no presente e no futuro um conhecimento mínimo de tecnologia e suas possibilidades. O líder algorítmico responde a essa demanda reforçando a tese de que o problema não está centrado na falta de tecnologias disponíveis – esses recursos estão disponíveis: o grande desafio é como gerenciá-los.

O líder algorítmico, portanto, é aquele que adapta com sucesso seu processo decisório, seu modelo de gestão e de atuação à complexidade da era das máquinas.

ANÁLISE DE DADOS BASEADA EM EVIDÊNCIAS

Alex Osterwalder é um dos jovens mais instigantes da nova era de pensadores sobre gestão e criador do Business Model Canvas, que se popularizou como uma das principais ferramentas de geração de modelos de negócios. Suas pesquisas vão muito além desse território, abarcando a visão das estruturas de negócios mais bem-sucedidas nesses novos tempos. Em nossa conversa, Osterwalder nos trouxe uma perspectiva essencial para o entendimento do alcance do líder algorítmico.

O modelo decisório clássico baseado em opiniões (*opinion based decision*) deve dar espaço para o modelo baseado em evidências (*evidence based decision*). O líder deve adotar e construir um ambiente em que a tecnologia lhe ofereça suporte para que as suposições de negócios se baseiem em evidências e não em opiniões nem visões pessoais. E, para que esse sistema se fortaleça, cabe instituir uma indagação a toda e qualquer decisão a ser tomada na organização: quais evidências comprovam se essa é uma boa ideia?

Muito além de desenvolver uma arquitetura tecnológica de dados, trata-se de uma mudança comportamental que deve ser estruturada e ensinada e, por isso, é central na agenda da liderança. O líder deve não só ser capaz de fazer essa migração pessoal como também construir um ambiente que introjete essa dinâmica em todo seu sistema de tomada de decisões.

É vital entender que quando a companhia adota esse modelo mais racional, é inevitável que haja um "desempoderamento" do indivíduo, na medida em que opiniões pessoais cedem espaço para ferramentas analíticas. Mais explicitamente: existe uma dimensão absolutamente humana na adoção da tecnologia e de um sistema baseado em dados como principal vetor no processo decisório de uma organização que é a percepção de ameaça de perda de poder dos seus líderes tradicionais. No fim das contas, essa dimensão se traduz em uma falácia, uma vez que o bom líder se prevalece desse instrumento para aumentar sua performance e não para substituir todo o potencial humano envolvido nesse processo.

Independentemente, quando há um sistema de decisões com base em evidências, as opiniões dos líderes de hierarquias mais altas são menos relevantes do que quando esse padrão não está estabelecido. Quando não existem dados para decidir, quem tem mais poder naquela estrutura tem mais condições de fazer valer sua visão pessoal. Assim, por mais contraintuitivo que possa parecer, o conceito do líder algorítmico envolve a já evidenciada e óbvia dimensão tecnológica, porém há outra tão relevante e indispensável quanto ela: a dimensão humana.

Recorrendo a uma visão popular em ambientes técnicos, os dados podem ser distorcidos e dizer aquilo que as pessoas desejam – e não necessariamente o que efetivamente representam. Em não raras ocasiões, líderes que não entendem o valor dessa dinâmica utilizam dados para justificar decisões já tomadas e não como guia para tomada de decisões. Adotam esse recurso para corroborar teses já existentes que estão baseadas em suas opiniões pessoais em vez de utilizá-los para desenvolver novas hipóteses. Essa dinâmica se evidencia quando observamos um ambiente no qual as principais decisões tomadas pela organização não condizem com as evidências existentes naquele contexto.

A psicologia nos mostrou como esse comportamento se traduz em um modelo já identificado pela ciência: o chamado "viés de confirmação". De acordo com essa tese, o ser humano tem um sutil padrão generalizado em seu processo de pensamentos; ele busca informações que confirmem suas crenças e rejeita aquelas que as questionem. Assim, a tendência é recorrer a estratégias para corroborar aquilo que entendemos ser o mais adequado em determinada situação em detrimento da opção alternativa quando esta representa algo em que não acreditamos – mesmo que ela seja superior tecnicamente. Esse processo é sutil, já que não é explícito e, muitas vezes, o próprio indivíduo não tem consciência de que está adotando esse comportamento nocivo.

O líder deve se afastar do viés de confirmação e criar um ambiente que alie a dimensão tecnológica que representa toda a arquitetura necessária para gerar dados e informações qualificados com a dimensão humana, trazendo conforto psicológico para que todos se sintam seguros de estar adotando um novo padrão de pensamentos.

SEM A INTERPRETAÇÃO CORRETA, DADOS SÃO APENAS DADOS

O líder algorítmico consegue aliar o melhor que as máquinas podem proporcionar para sua organização, extrair informações qualificadas de dados, desvendar padrões e até tomar decisões simples autonomamente com o melhor que o ser humano pode entregar na adoção de um pensamento original e criativo, na habilidade de criar experiências únicas, transformar organizações e reinventar seu contexto. Como Walsh comenta: "Ser inteligente quando as máquinas são mais inteligentes do que você exige que você se torne algo novo".

Paradoxalmente, no entanto, é requerido que a orientação para um processo decisório baseado em evidências não se traduza em um problema que paralise a organização. A RD Station é uma das startups mais promissoras do Brasil. Fundada em 2011, originalmente como Resultados Digitais, a empresa nasceu pelas mãos de um grupo de jovens empreendedores que ao observarem a ascensão e o potencial do marketing digital, identificaram a oportunidade de oferecer soluções de automação para auxiliar empresas a navegarem nesse mundo novo de até então.

Eric Santos, junto com outros quatro cofundadores, iniciou esse projeto com recursos próprios, evoluindo para uma empresa que atende 25 mil clientes e que atua em cerca de vinte países, contando com mais de setecentos funcionários. É líder em seu segmento no país. Um marco importante nessa história, e o reconhecimento do crescimento meteórico do negócio, aconteceu em março de 2021, quando a empresa foi adquirida por cerca de 2 bilhões de reais pela TOTVS, uma das maiores empresas de softwares do Brasil.

Santos representa uma nova geração de empreendedores brasileiros que nasceram com uma mentalidade distinta da tradicional, introjetando diversas perspectivas mais contemporâneas, como sua relação com a tecnologia e os dados. Uma das suas principais missões à frente da RD é garantir que a empresa continue sendo, e fortaleça sua posição como uma organização *data driven* (orientada a dados, em português), como enfatizou mais de uma vez em nossa conversa.

Tendo em vista sua experiência prática, o empreendedor nos trouxe um risco essencial, que pode culminar com uma má gestão na adoção desse sistema: a paralisia gerada pela busca da informação perfeita para tomar decisões sem riscos. Esse comportamento é tão comum que até ganhou um termo em inglês: *analysis paralysis* (algo como "paralisia de análise", em português). Esse conceito é definido como a inabilidade de tomar decisões devido a pensar obsessivamente no problema.

O processo deve trazer como pressuposto a busca pela melhor acuracidade dos dados pesquisados sem que essa orientação gere insegurança derivada dessa obstinação. Ao mesmo tempo que nos traz essa perspectiva, Eric nos mostra como tem trabalhado para evitar essa paralisia. Antes de olhar para os dados, a proposta é que sejam construídas hipóteses relacionadas ao problema, as quais devem ser validadas.

Assim, emerge a perspectiva pessoal de cada indivíduo, canalizando o processo de busca de informações a uma orientação alinhada com a estratégia da organização norteadora de toda a pesquisa. O dado sozinho não oferece nada à organização – ele só tem valor quando gera algum significado relevante e norteador de alguma ação específica.

Um aspecto adicional que potencializa o risco de paralisia é o alto volume de dados ao qual toda organização é exposta atualmente. Como há uma profusão de fontes de informações e muita tecnologia para capturá-las, muitas companhias se veem às voltas com inúmeros painéis (*dashboards*) recheados de gráficos de todos os tipos, porém que, em não raras ocasiões, não se traduzem em conhecimento prático. Outra expressão em inglês que costuma surgir para exemplificar esse risco

Nesta nova era, há de se reconhecer que é impossível prever o futuro com clareza em todas as suas nuances. Em contrapartida, a despeito desse desafio, é imperativo preparar a organização para que ela evolua nesse espaço desconhecido, conduzindo todos os colaboradores ao futuro em vez de prendê-los ao presente.

define que *too much data is no information*, ou seja, dados em excesso são sinônimos de uma não informação.

Uma das principais funções do líder algorítmico é simplificar ao máximo toda a tecnologia embarcada em seu negócio ao mesmo tempo que simplifica seu sistema de informações. Como uma das traduções dessa visão, David Niekerk cita Elon Musk quando faz a comparação entre o total de gráficos e painéis existentes nas imagens da missão Apollo 11, responsável pelo primeiro pouso com humanos na lua em 1969, com um lançamento da SpaceX, empresa fundada pelo empreendedor que atua no setor aeroespacial. Quando observamos imagens do quartel-general da SpaceX, encontramos seis ou oito indicadores sendo expostos. Não mais do que isso. Essa simplificação é essencial para orientar todos os envolvidos quanto àquele projeto, facilitando ao máximo o entendimento do que é, realmente, prioritário e relevante para o sucesso da missão.

Dessa maneira, o líder deve dedicar-se com sua equipe a encontrar o que é, de fato, crítico na leitura dos dados existentes e traduzir essa visão de maneira simples por meio de uma representação entendível a todos os envolvidos no projeto. Quanto mais esse processo for padronizado, maior será a possibilidade de gerar referências e comparações com outras fontes. Se não houver a sistematização dessa estrutura, o volume de informações será tão alto e disforme que haverá uma visão difusa e organizada sem gerar insights nem conhecimento.

Há uma dimensão fundamental nessa jornada que vai conversar com uma outra de nossa constelação da liderança, a qual abordaremos mais adiante: a educação. O líder algorítmico deve construir as bases para educar todos na organização quanto aos benefícios – e riscos – da adoção da tecnologia em suas práticas.

Para que essa meta seja atingida, é indispensável que todos os colaboradores rezem da mesma cartilha, adotando um comportamento que privilegie o uso da tecnologia em suas rotinas. Por isso, essa visão deve envolver todos na organização, sem se restringir apenas à alta gestão. Como todo movimento que envolve uma mudança comportamental, esse articula uma complexidade importante que não pode ser negligenciada pelo líder no que tange às relações humanas dentro da empresa.

A IMPORTÂNCIA DE UMA ANÁLISE INTEGRATIVA

O principal desafio do líder algorítmico não é apenas trabalhar como tal, mas fazer o design desse trabalho na organização. Se o líder analógico se acostumou a um desenho organizacional hierárquico, repleto de níveis e silos dentro da empresa, o líder algorítmico opera em um ambiente interconectado, liderando um grande ecossistema que envolve diversos agentes.

Ao contrário do modelo tradicional, no qual o líder orienta sua ação exclusivamente para a maximização dos recursos corporativos, o algorítmico se dedica a desenhar um modelo que permita a entrega de produtos e serviços em escala global, considerando todo valor em seu ecossistema. As implicações dessa arquitetura não se restringem ao desenvolvimento de negócios, mas estendem seus tentáculos, sobretudo, para o modelo de como a empresa resolve problemas e gerencia as pessoas.

O líder algorítmico não se sente sobrecarregado nem assustado com a velocidade das mudanças, ele constrói um ambiente onde dados são traduzidos em experimentos e novas proposições de negócios. Ao estruturar uma arquitetura apta a lidar com todo o fluxo de informações da companhia, suas organizações conseguem reagir mais rapidamente aos impactos do ambiente externo e corrigir rotas em suas estratégias, mudando a alocação de recursos e equilibrando suas metas de curto e longo prazos. O processo é sistêmico e envolve multifatores, porém, no que tange ao perfil de liderança, o líder algorítmico consegue adaptar com sucesso seu processo decisório, estilo de gestão e pensamento criativo à complexidade da era das máquinas.

Em artigo publicado na revista *Forbes*, Steve Denning, um dos principais pensadores sobre agilidade nos tempos atuais, mostra como a Amazon, sob a liderança de Jeff Bezos, transformou-se na empresa mais orientada a dados do mundo.[11] Denning recupera o que diz John Rossman, ex-executivo da Amazon: de acordo com o autor, as empresas, como a Amazon, devem operar como um reator nuclear. Se surgir um problema, seus líderes devem estar cientes disso imediatamente.[12]

A empresa precisa de disponibilização de dados, monitoramento e alarmes – tudo em tempo real – para identificar quando o problema está se formando. E não de métricas de atraso que ocultam os problemas reais por vinte e quatro horas ou mais. A pressão por tempo, atualmente, não permite que organizações se deem ao luxo de responder com atraso às demandas prioritárias. Essa demora pode ser fatal. E, para que essa agilidade se configure na prática, é necessário que a tecnologia e os dados estejam disponíveis a todos na organização.

Departamentos não possuem dados; eles administram dados. Estes não podem ser percebidos como proprietários de determinada área da organização. Em muitas companhias tradicionais existe uma clara divisão entre quem é responsável por capturar e minerar os dados e aqueles que tomam decisões com base nessa matéria-prima. O líder algorítmico deve construir uma arquitetura que una engenheiros, tecnólogos, analistas, gestores de produtos e todas as camadas organizacionais em torno dos mesmos problemas e tendo acesso às mesmas informações para gerar soluções inovadoras e impactantes. Esse design organizacional deve pressupor uma arquitetura tecnológica em que todos os dados estejam centralizados em um mesmo ambiente e que garanta informações únicas e qualificadas que representem a realidade. Uma estrutura decentralizada compromete essa acuracidade, uma vez que recebe impactos de visões particulares representadas por líderes daquele silo em específico.

Observe como a adoção dos princípios do líder algorítmico envolve uma interferência clara na cultura da organização, mobilizando estruturas formais e racionais, mas, e sobretudo, representa uma inserção no sistema de pensamento da companhia, na sua filosofia e nas suas crenças. É a chance de reinventar toda a organização – além de uma reinvenção pessoal.

UMA JORNADA DESAFIADORA, MAS RECOMPENSADORA

Considerando que vivemos em um ambiente caracterizado por alta dose de imprevisibilidade, condição que não tende a ser passageira – pelo contrário, deve se fortalecer ao longo dos anos –, desenvolver um sistema que contribua para o aumento das convicções dos colaboradores sobre os principais vetores que influenciam um negócio representa a oportunidade de lidar com essa conjuntura de maneira mais favorável.

É importante adotar nessa jornada uma cultura que abrace a tecnologia e culmine com um processo decisório com base em evidências, uma vez que traz referências mais precisas à ação de todos na organização em detrimento de um sistema baseado exclusivamente em intuição e opiniões pessoais. Além disso, instituir esse padrão possibilita que líderes adotem um modelo menos determinante com o uso das tecnologias para gerar informações que culminarão com a construção de proposições e hipóteses originais. A natureza humana é determinística por definição: temos a tendência de um raciocínio mais maniqueísta, acreditando no falso ou verdadeiro; no branco ou no preto.

Ao implementar um modelo mais racional, integrado à introdução de visões e perspectivas pessoais, o líder concebe um ambiente que promove a geração de muitas possibilidades de negócios em que, para um mesmo problema, existem diversas soluções alternativas e não apenas aquela percebida por poucos executivos da alta gestão na companhia. Pode-se afirmar com segurança que essa é uma visão absolutamente empolgante e superior em relação ao modelo tradicional, muito mais estático e monótono. Porém, não se engane: essa jornada é muitíssimo desafiadora. O líder deve ter essa perspectiva clara e o compromisso de iniciar uma caminhada sem retorno. Em mais de uma ocasião, principalmente quando as coisas não andarem tão bem, a inércia entrará em cena, empurrando o sistema ao padrão tradicional, pois esse já é conhecido e confortável, sobretudo para quem foi afetado nesse processo; via de regra, a alta gestão.

O líder algorítmico deve enunciar claramente um plano que não tem volta, removendo de maneira explícita a possibilidade de retorno ao modelo anterior. Só assim será possível colher os frutos de uma organização mais adaptada à velocidade e à complexidade do atual ambiente empresarial.

Temos, portanto, em nossa constelação da liderança, a perspectiva do sonho ambicioso e a gestão de dados para suportar e alimentar essa evolução. A próxima dimensão de nosso modelo, justamente, tem a possibilidade de edificar uma organização com um desenho alinhado às demandas do novo mundo.

Partimos para o líder como arquiteto de negócios.

LÍDER TRADICIONAL × LÍDER ALGORÍTMICO

LÍDER TRADICIONAL	LÍDER ALGORÍTMICO
Toma decisões baseadas em opiniões.	Toma decisões baseadas em evidências.
Utiliza visões pessoais para tomar decisões.	Utiliza a tecnologia para dar suporte ao processo de tomada de decisões.
Delega a tecnologia às áreas técnicas.	Conhece as possibilidades geradas pela tecnologia para seu negócio.
Não dá atenção à simplificação de sua arquitetura de dados, que é de responsabilidade das áreas técnicas.	Simplifica ao máximo sua estrutura de dados para que seja acessível a todos.
Concentra o acesso aos dados em poucas áreas técnicas.	Disponibiliza o acesso aos dados a todos na organização.
Desconhece o fluxo da informação em seu negócio.	Tem uma visão clara do fluxo pelo qual caminha a informação em sua empresa e seu ciclo de vida.
Utiliza os dados para justificar decisões tomadas.	Utiliza os dados para desenvolver novas hipóteses.
Não se dedica a selecionar quais dados são mais relevantes para a organização.	Simplifica o sistema de gestão de dados, facilitando seu entendimento por todos.
Lidera uma organização repleta de feudos e silos.	Desenvolve uma arquitetura organizacional plana, em que a informação trafega com fluidez.
Centraliza as decisões fazendo prevalecer sua opinião.	Utiliza os dados para tomar as melhores decisões, mesmo que não sejam as suas.

ACESSE O QR

Quer saber mais sobre o líder algorítmico? Acesse https://gestaodoamanha.com.br/app/lideranca-disruptiva/lider-algoritmico ou aponte a câmera do seu celular para o QR Code ao lado e confira um conteúdo exclusivo!

O líder algorítmico deve construir uma arquitetura que una engenheiros, tecnólogos, analistas, gestores de produtos e todas as camadas organizacionais em torno dos mesmos problemas e tendo acesso às mesmas informações para gerar soluções inovadoras e impactantes.

CAPÍTULO 4

O LÍDER COMO ARQUITETO DE NEGÓCIOS

Em outubro de 2005, Bob Iger assumiu a posição de CEO do Grupo Disney após um conturbado processo sucessório que envolveu os principais acionistas da empresa com o antigo líder da organização.

Iger encontra uma empresa debilitada. Seu estúdio, a Walt Disney Studios, divisão mais icônica, origem da empresa e responsável pelo encadeamento de todas as iniciativas do grupo, estava com o moral baixo depois de sucessivos lançamentos malsucedidos. Ao mesmo tempo, a organização lendária é alvo da vigorosa invasão de novos competidores que adotam uma linguagem mais moderna lançando animações que alçam estúdios como Pixar, DreamWorks e Fox a outro patamar.

Depois de cerca de quinze anos de sua posse, Bob Iger anunciou seu afastamento como CEO da empresa em fevereiro de 2020. Ao migrar para uma posição no Conselho, o executivo entregou uma organização muito diferente ao seu sucessor. As ações do grupo subiram cerca de 500% no período, e a companhia modernizou-se lançando blockbusters que atingiram recordes de bilheterias. Além disso, ingressou no badalado segmento de plataformas de streaming de vídeo ameaçando a líder Netflix com um crescimento avassalador (em 2021, o total de assinaturas do portfólio Disney – que também inclui Hulu, nos Estados Unidos, Star+ e ESPN – atingiu a marca de 196,4 milhões, contra 222 milhões da Netflix).

Quais são os motivos dessa verdadeira revolução?

Existem muitas perspectivas que poderíamos mencionar como essenciais para essa evolução. A principal delas, no entanto, relaciona-se com uma das competências mais relevantes para o líder conector: a habilidade de construção de uma arquitetura de negócios valiosa com potencial de crescimento exponencial.

Na Disney, essa modelagem começa a se alicerçar em 2006, quando a empresa dá um passo que se configura em um marco histórico com a aquisição da Pixar por 7,4 bilhões de dólares. Muitos foram céticos quanto a esse movimento, questionando os valores envolvidos por um estúdio ainda modesto. Não enxergaram o que Iger estava enxergando quando comentava que a aquisição salvaria a organização. Mais do que uma empresa, Iger adquire uma nova cultura que contamina o tradicional negócio da Disney e seus colaboradores com um espírito mais contemporâneo, dinâmico e moderno. Não só os lançamentos da Pixar bem-sucedidos se sucedem, mas também as produções originais da Walt Disney Studios ganham vigor e êxito nas bilheterias.

Estimulada pelo sucesso e capitalizada, a companhia vai às compras e adquire em 2009 a Marvel Entertainment, incluindo em seu portfólio os principais super-heróis do mundo. Antevendo e protagonizando um movimento que invadiu os cinemas em todo o planeta com o fenômeno do sucesso de produções que quebraram sucessivos recordes de bilheteria como *Homem de Ferro*, *Os Vingadores*, entre outras. Como evolução dessa estratégia, em 2012 é a vez da aquisição da Lucasfilm de George Lucas, o que proporciona o controle de toda a franquia Star Wars.

O grande movimento, no entanto, acontece em 2018, em um processo que é finalizado no ano seguinte. A companhia realiza sua maior aquisição da história quando adquire por 71,3 bilhões de dólares a Fox Studios. De uma só vez, coloca para dentro de seu império produções como *The Simpsons*, *X-Men*, *Avatar*, *Alien* e muitas outras. Com essas aquisições, a Walt Disney Studios domina cerca de 30% do mercado mundial de produções cinematográficas. Só para ter uma referência dessa dominância, dos dez filmes de maior bilheteria na história, oito estão no portfólio da Disney.

Essas aquisições por si só, no entanto, não tornaram tangíveis a visão do arquiteto de negócios de Bob Iger. Essa perspectiva começou a se materializar em 2019 com a aquisição do serviço de streaming de vídeos americano Hulu. Esse movimento já mostra como, a partir de um conteúdo singular, a organização orienta seus esforços para dominar os canais de distribuição aproximando-se definitivamente de seus clientes.

No mesmo ano de 2019, a empresa dá o passo definitivo nessa abordagem estratégica quando lança a própria plataforma de vídeos, a Disney+. Nessa estrutura, concentra todas as produções históricas de seu portfólio e lançamentos. O sucesso foi meteórico e logo no primeiro dia no ar, chegou à marca de 10 milhões de assinantes (estima-se que, em 2020, apenas essa plataforma concentrou cerca de 130 milhões de clientes). Quando emerge a pandemia, essa estratégia foi decisiva para a sobrevivência da empresa, impactada pelo fechamento dos cinemas e de seus parques temáticos.

Mais adiante, a empresa acelera esse processo e lança outras plataformas como a Star+, que complementa a oferta do portfólio de produções da organização. Essa arquitetura estruturada por Iger confere à Disney uma posição privilegiada. Ao dominar a criação das melhores produções do mercado, a empresa tem acesso privilegiado ao recurso mais estratégico do setor: os conteúdos. Quando alia a esse ativo o domínio dos canais de distribuição, elimina um intermediário (outras plataformas de vídeo e os clássicos distribuidores do cinema) e conquista uma conexão direta com os clientes, que, por meio do uso dos seus serviços, geram informações de consumo que retroalimentam todo processo e geram insights para a produção de novos conteúdos, e assim por diante.

Note como esse processo é uma evolução fundamental do modelo que comentamos da saga dos produtores do *The Crown*, no Capítulo 3, sobre o líder algorítmico. A Disney, sob a liderança de Bob Iger, reinventou-se totalmente, estruturando as bases para um novo negócio.

E os parques temáticos? Como se encaixam nessa estrutura? Não só os parques, mas também o negócio de licenciamento de marcas bebem das fontes das produções da Disney tanto no que se refere a novas atrações nos parques como Avatar e Star Wars quanto na construção e popularização de novas marcas, como The Mandalorian, que se traduzem em produtos como camisas, *souvenirs*, games etc.

Com o tempo, a Disney tem explorado todo o potencial de seu ecossistema e constituído uma plataforma de negócios vibrante e expansionista. Na obra, *Rethinking Competitive Advantage* [Repensando a vantagem competitiva, em tradução livre], o incansável Ram Charan, um dos nossos entrevistados para este projeto, recorre a esse exemplo para mostrar como um líder tradicional de uma empresa tradicional tem condições de se adaptar e adaptar a companhia que lidera a esse novo contexto.

Iger adotou cinco princípios que são fundamentais para entendermos o alcance do arquiteto de negócios:

1. Capacidade de entender o que seus clientes valorizam;
2. Usar uma plataforma digital para se conectar e aprender sobre seus clientes;
3. Criar um modelo de negócios lucrativo e escalável;
4. Construir uma rede de parceiros ampla (quando alia parcerias como com a Globo no Brasil para atingir novos públicos);
5. Adotar um novo posicionamento e modelo de negócios mais sustentável para o futuro da companhia.

Para isso, Charan comenta que o líder teve, como pré-condição, uma mente aberta para aprender e desvendar novos padrões, imaginando algo novo, pensando grande e orientando a organização a persegui-lo a despeito dos riscos envolvidos na empreitada.

O conceito de ecossistemas, base do desenvolvimento das plataformas bem-sucedidas de negócios, não é novo. Ele remonta ao campo da biologia e pode ser definido como o conjunto de comunidades que vivem em determinado local e interagem entre si e com o meio ambiente, constituindo um sistema estável, equilibrado e autossuficiente. Sua ascensão no ambiente empresarial, no entanto, é fenômeno recente derivado da ascensão tecnológica, conforme exploramos na introdução desta obra. A convergência das diversas tecnologias abriu espaço para o desenvolvimento de novas possibilidades e arranjos de negócios que desconstruíram o tradicional modelo linear das cadeias de valor.

ECOSSISTEMAS EXPONENCIAIS E MULTIDIMENSIONAIS

É inegável que Steve Jobs guarda um lugar de destaque nessa revolução quando, à frente da Apple, cria um inovador modelo de negócios que vai muito além de produtos excepcionais.

Em um movimento que havia sido iniciado em 2001 com o lançamento do iPod, integrado a uma plataforma para baixar músicas (o iTunes), e que teve o seu ápice em 2007 com o iPhone e a plataforma App Store, a empresa se posiciona como protagonista de um amplo ecossistema, incorporando a sua proposta de valor milhares de desenvolvedores de aplicativos que utilizam esse espaço para promover e comercializar seus desenvolvimentos ao consumidor final.

A companhia é remunerada por cerca de 30% de todas as vendas realizadas em sua plataforma, criando um modelo de alta escalabilidade e lucratividade, já que os custos e as despesas fixos não variam na mesma proporção das receitas geradas. Como resultado, temos uma das companhias desse porte mais lucrativas do mundo. As vendas de serviços representam cerca de 15% das receitas da empresa, porém estima-se que contribuem para 30% dos seus lucros.

Antes, os desenvolvedores de aplicativos não estavam contemplados na original cadeia de valor da organização. Consequentemente, esse valor não era capturado pela empresa. Mas Jobs foi pioneiro ao identificar a nova dinâmica dos negócios e a desenvolver uma arquitetura que capturasse todo o valor não apenas de sua cadeia produtiva, mas, e sobretudo, de seu ecossistema.

Na conversa que tivemos com Charan, ele nos traz uma visão muito certeira sobre essa evolução no ambiente empresarial quando afirma que o modelo clássico de cadeia de valor, que se caracteriza por sua linearidade e estabilidade, dá espaço, devido à tecnologia, a ecossistemas exponenciais e multidimensionais.

Silvio Meira comenta que a estratégia dos negócios em rede mudou a própria lógica da liderança, pois rompeu com a linearidade do sistema vertical de comando e controle. Como exploramos no Capítulo 1, o modelo de comando e controle foi o clássico sistema de liderança adotado pelo ambiente empresarial desde sua origem. Muito de sua pertinência e de seu sucesso nesse período está associado à sua adequação a essa lógica de cadeia de valor linear.

Vivemos um colapso da clássica visão do modelo de negócios convencional. Nesse contexto, o líder não pode adotar um mesmo padrão de liderança estabelecido nessa nova dinâmica exponencial e multidimensional. Em seu papel como arquiteto de negócios, ele assume a posição de inserir sua organização como protagonista do ecossistema a que pertence, conectando todos os agentes na geração de novas possibilidades de negócios.

Edson Rigonatti é um dos fundadores da Astella Investimentos, fundo de *venture capital* (capital de risco) especializado em investimentos em startups. A empresa é uma das pioneiras no Brasil nessa orientação e uma das protagonistas do amadurecimento da evolução dos ecossistemas de startups em nosso país. Conversamos com Rigonatti, sobretudo considerando sua experiência em se relacionar com empreendedores da nova geração. Além disso, o empreendedor teve uma exitosa carreira como executivo sênior de empresas de tecnologia em todo o mundo, o que lhe confere uma visão privilegiada em relação ao universo tradicional do líder e a esse novo contexto.

Rigonatti nos trouxe uma visão preciosa que torna tangível, de maneira muito assertiva, essa migração no perfil do líder. Segundo ele, o líder mais adaptado ao corrente ambiente de negócios é um arquiteto e não um engenheiro.

Explicando melhor a metáfora: como o grande objetivo das organizações, no ambiente tradicional, foi dominar suas cadeias de valor monopolizando seus mercados, esses líderes se habituaram a serem exímios *deal makers* (fazedores de negócios, em português). Adotando esse papel, esses empreendedores e executores eram farejadores incansáveis de novas organizações que ajudariam a tornar seus impérios mais robustos e a obter um posicionamento singular em seus setores. Aliado a essa competência da identificação de oportunidades, esses líderes desenvolveram a competência de realizar aquisições serialmente. Não à toa, o século XX testemunhou a formação de grandes grupos que dominaram setores inteiros, por exemplo, o bancário, o de varejo e o de alimentação. Por isso, a metáfora do engenheiro.

Conforme comentamos anteriormente, com o avanço tecnológico e a redefinição do contexto corporativo, os líderes migraram da posição de *deal makers* para a de *product designer* (designers de produtos, em português), entendendo que essa função, de modo expandido, vai muito além das especificações do produto em si e expande seus tentáculos para a construção de arquiteturas de negócios mais amplas com a formação de plataformas e de novos espaços.

A visão de Rigonatti é corroborada pelo artigo de Boris Groysberg e Tricia Gregg, How Tech CEOs Are Redefining the Top Job, publicado na

MIT Sloan Management Review em 2019.[13] Nessa pesquisa, os autores definem as características dos principais líderes de tecnologia do mundo. Groysberg e Gregg apontam como um dos principais achados que alguns dos líderes mais reconhecidos da história recente, como Jeff Bezos (Amazon), Larry Page e Sergey Brin (Google), Bill Gates (Microsoft) e Steve Jobs (Apple), tinham em comum o investimento de sua agenda no desenvolvimento de produtos e arquiteturas de negócios. Esses líderes sempre foram apaixonados pelo desenvolvimento de ofertas que engajassem seus consumidores de modo irrestrito, e isso se traduziu em plataformas que cresceram e crescem exponencialmente. Essa é a tese do arquiteto de negócios em contraposição à metáfora do engenheiro.

Para que não haja confusão quanto a esse conceito, é necessária a correta definição de que não estamos nos referindo a um perfil centrado no que é produzido pela empresa. A expansão de qualquer plataforma tem como eixo central sua evolução a partir das demandas mapeadas de seus clientes e agentes do seu ecossistema. Ou seja, em vez de ser uma empresa *product centric* (centrada no produto), o líder deve estruturar as bases para uma empresa *customer centric* (centrada no cliente). Essa é a essência da expansão dessas organizações, que se revelam *hubs* de negócios organizados a partir de oportunidades de mercado, gerando conexões para capturar todo o valor de seus ecossistemas.

LENDO O AMBIENTE

Jim Collins é um dos principais pensadores da história contemporânea dos negócios. Suas obras, especialmente *Feitas para durar* e *Empresas feitas para vencer*, são best-sellers globais que influenciam o pensamento dos principais líderes mundiais. Conversamos com o pensador para ter sua perspectiva pessoal sobre a migração do líder e como ele percebe essas mudanças em seu estudo.

Um dos conceitos mais populares de Collins atualmente é o "efeito *flywheel*". Em *Empresas feitas para vencer*, o autor utiliza a metáfora do *flywheel*, que é uma peça de engenharia em formato de disco maciço que pesa mais de 2 mil quilogramas, para mostrar o benefício da tração quando a organização desenvolve um modelo de negócios que integra de maneira virtuosa os principais agentes de seu ecossistema. A tese é que é necessário muito esforço para fazer esse disco começar a girar. No entanto, quando ele sai da inércia e conquista tração, o contrapeso ao redor da roda começa a surtir efeito, e ela começa a ganhar impulso por si só. Quanto maior a velocidade e menor o atrito, mais energia armazenada.

Em nossa conversa, Collins cita o *flywheel* que Jobs construiu na Apple com a arquitetura que mencionamos: quanto mais clientes compram o iPhone, maior a base de consumidores para aplicativos; quanto mais desenvolvedores estão na App Store, mais possibilidades esses clientes têm de opções e, como consequência, gastam mais dinheiro nesse espaço. Os desenvolvedores de aplicativos lucram mais e investem em mais produtos, gerando mais opções para os clientes que utilizam ainda mais a plataforma, e por aí vai.

Esse ciclo virtuoso gera resultados crescentes para a companhia, retroalimentando o sistema e criando outros produtos. No caso da Apple, essa estratégia se traduz em opções como Apple Music, Apple+, iCloud, entre outros serviços introduzidos pela empresa que em 2021 compõe um universo de mais de 660 milhões de assinantes, gerando receita recorrente à companhia. Assim, novos fluxos de receita são gerados.

Essa visão é tão interdependente e integrada ao negócio que transcende a tecnologia utilizada para viabilizá-la. Para comprovar essa tese, Collins comenta que, no relatório anual de resultados da Apple em 2003 (dois anos após o lançamento dessa estratégia com o iPod), não havia uma linha sequer sobre o iPod, pois ele é considerado uma extensão natural da estratégia da companhia.

A visão da arquitetura de negócios, portanto, não está lastreada em um produto específico e, sim, na ideia da plataforma. O iPhone é uma extensão da estratégia iniciada com o iPod e, a despeito do seu êxito absoluto de vendas, pode ceder espaço para outros dispositivos no futuro. A arquitetura se sobrepõe aos produtos não negligenciando sua relevância, obviamente.

Em sinergia com o que exploramos no capítulo anterior, sobre o líder algorítmico, antes de ser especialista em determinadas tecnologias, o líder deve ser especialista nas demandas de seus clientes e na sua interdependência com o contexto em que estão inseridos para estruturar arquiteturas de negócios que capturem todo valor potencial desses espaços. Por mais ambíguo que possa parecer (e não deixa de ser), as pessoas devem conhecer todo o potencial das tecnologias disponíveis para os negócios, porém esse conhecimento por si só não tem valor. O líder deve ser capaz de traduzir toda essa capacidade em uma arquitetura de negócios poderosa e singular.

Um dos principais desafios do líder é ser capaz de fazer uma leitura adequada do ambiente em que está inserido, entender suas mudanças e transformações e modelar sua organização para competir nesse contexto. Um dos casos da atualidade que ajuda a demonstrar como essa capacidade permite redefinir segmentos inteiros é protagonizado por Elon Musk à frente da Tesla.

A companhia estruturou uma arquitetura tão singular que fica difícil até posicioná-la no tradicional segmento automobilístico. Esse desenho vai muito além dos badalados carros elétricos da Tesla. Estes são o equivalente ao iPhone dessa estrutura. A organização integra em sua arquitetura o domínio da tecnologia que abastece os automóveis (as baterias elétricas); os canais de distribuição para seu abastecimento (as Supercharge, maior rede de carregamento rápido de veículos elétricos do mundo) e a rede de comercialização (com sua rede de concessionárias própria).

Expandindo as dimensões dessa arquitetura, adiciona-se a essa estratégia outros negócios de Musk – como a SolarCity, especializada em energia solar, e a SpaceX, atuante no segmento aeroespacial –, que exportam tecnologias e conhecimento para a Tesla em um movimento circular. Observe como, ao adotar a visão de ecossistema, que vai além da clássica cadeia de valor da indústria automobilística, o empreendedor redefine todo o segmento e cria uma vantagem competitiva singular que vai além das características específicas do produto em si.

Uma dimensão adicional a essa arquitetura é a possibilidade de desenvolvimento de muitas novas conexões com inúmeros parceiros de diversos segmentos. As companhias que atuam com marketplaces, por exemplo, são capazes de trazer para a própria plataforma organizações de diversos setores com suas ofertas, que, em muitas situações, concorrem com o próprio proprietário daquele espaço (você pode comprar um celular na Magalu, que é comercializado pela empresa ou por inúmeras outras organizações competidoras).

Quem introduziu esse modelo nos negócios foi Bezos, com a Amazon. Quando iniciou esse movimento, a participação de vendedores terceiros na plataforma da empresa era de 3%. Em 2018, essa participação foi para 58%, ou seja, mais da metade de tudo o que é comercializado na plataforma da Amazon não é de sua propriedade. Se esse modelo não tivesse sido adotado pela empresa, ela não teria o crescimento explosivo que teve, uma vez que a maioria das suas vendas foi gerada por essa fonte.

A lógica por detrás dessa estratégia é que o valor gerado por atender as demandas do cliente, trazendo-os para o ambiente da empresa, é superior à potencial perda gerada por uma venda realizada por outra companhia. Essa premissa é absolutamente contraintuitiva à clássica visão do controle total da cadeia de valor e favorece o líder que adota a visão de arquiteto de negócios.

Quando traz novos parceiros para seu ambiente, emerge um dos preceitos fundamentais para o líder que adota esse modelo, que é a necessidade do claro entendimento das demandas de todos os agentes do seu ecossistema, expandindo a mesma percepção que deve ter quanto às necessidades de seus clientes. Qualquer agente só fará parte de um ecossistema se for gerado um valor claro de sua atuação naquele ambiente. No caso dos marketplaces, por exemplo, as companhias, por exemplo, a brasileira Magalu ou o Mercado Livre – além da Amazon –, desenvolvem uma série de ferramentas destinadas a contribuir para que seus vendedores (*sellers*) consigam realizar atividades críticas como a gestão de seu estoque, processamento de pagamento, viabilidade logística, atividades de marketing, entre outras iniciativas-chave para o sucesso desses projetos.

Conforme citado anteriormente, John Chambers comenta que o verdadeiro poder de uma rede não é representado apenas por quantas pessoas e dispositivos estão conectados a ela, mas também pela força criada e derivada das conexões geradas nessa rede. A correlação e integração com o líder conector é óbvia quando exploramos a visão do arquiteto de negócios. Só mesmo por meio da realização de conexões de valor é possível estruturar uma arquitetura de valor.

Adotar as competências para ser um líder arquiteto de negócios é central e prioritário, pois na nova economia terão vantagem as companhias capazes de construir um ecossistema que consiga utilizar as tecnologias para atender às demandas de seus clientes. Essas conexões, por sua vez, têm enorme potencial de geração de inúmeros novos fluxos de receitas.

A interdependência entre os elementos de nossa constelação de liderança se evidencia à medida que vamos avançando em nossa jornada, tendo em vista que, para ser possível a adoção da arquitetura de negócios, é imperativo haver uma visão exponencial de seu projeto, expandindo os horizontes convencionais. Esse processo é alavancado pela tecnologia tanto no que concerne à sua estrutura quanto na geração de informações qualificadas, fundamentais na identificação de oportunidades e padrões de comportamento.

O modelo é interdependente sem que haja uma prioridade entre seus elementos; além disso, a velocidade das transformações atuais é avassaladora. Moldar e remodelar o ecossistema no qual se está inserido é atividade fundamental para todos os líderes das organizações. Ao não adotar esse modelo, repetindo o padrão estabelecido há décadas, o líder coloca em risco todo o projeto pelo qual é responsável, tornando sua empresa presa fácil para outras que conseguirem fazer uma leitura mais adaptada a esse movimento.

Charan comentou em nossa conversa que as empresas não competem mais apenas entre si, são seus ecossistemas que concorrem por um posicionamento mais favorável em seus mercados.

No entanto, como equilibrar todos esses movimentos que exploramos até aqui, gerando resultados de curto prazo para o negócio? E eficiência operacional não é mais uma prioridade para as organizações, uma vez que inovação é o novo imperativo estratégico?

No próximo capítulo, vamos amarrar ainda mais os conceitos explorados até agora, como a visão do líder ambidestro. Você vai conhecer uma perspectiva que alia visão de futuro a geração de valor no presente.

LÍDER TRADICIONAL × LÍDER ARQUITETO DE NEGÓCIOS

LÍDER TRADICIONAL	LÍDER ARQUITETO
Engenheiro de negócios.	Arquiteto de negócios.
Gestor da cadeia de valor da companhia.	Protagonista na construção de um ecossistema de negócios.
Deal maker.	*Product designer.*
Privilegia o domínio de todas as iniciativas em seu ambiente.	Promove e realiza parcerias estratégicas para aumentar a captura e a criação de valor do projeto
Foca seu esforço na construção de uma empresa *product centric* (centrada no produto).	Estrutura as bases para uma empresa *customer centric* (centrada no cliente).
Desenvolve modelos de negócios tradicionais.	Desenha e implementa modelos de negócios lucrativos e escaláveis.
Entende sua cadeia de valor como um sistema linear e estável.	Tem a perspectiva clara de que atua em ecossistemas exponenciais e multidimensionais.
Adota o clássico modelo de comando e controle.	Entende sua organização como um *hub* de negócios e lidera de maneira descentralizada e em rede.
Busca liderar o segmento em que atua.	Busca redefinir as bases do mercado em que atua, criando uma nova dimensão para todo o setor.
Entende que seus concorrentes são as empresas que atuam diretamente em seu segmento.	Entende que a concorrência acontece entre ecossistemas que buscam um posicionamento superior em seus setores.

ACESSE O QR

Quer saber mais sobre o líder arquiteto de negócios? Acesse **https://gestaodoamanha.com.br/app/lideranca-disruptiva/lider-como-arquiteto-de-negocios** ou aponte a câmera do seu celular para o QR Code ao lado e confira um conteúdo exclusivo!

A convergência das diversas tecnologias abriu espaço para o desenvolvimento de novas possibilidades e arranjos de negócios que desconstruíram o tradicional modelo linear das cadeias de valor.

CAPÍTULO 5

O LÍDER AMBIDESTRO

Vamos iniciar este capítulo sugerindo que você faça uma breve reflexão. Pause e realize um exercício simples. Analise sua agenda semanal e responda a duas perguntas básicas da maneira mais verdadeira e transparente possível:

1. Qual percentual do seu tempo você destinou para atividades rotineiras de curto prazo relacionadas à operação do seu negócio?
2. Qual percentual do seu tempo você destinou para atividades estratégicas relacionadas ao futuro de seu negócio?

Não se surpreenda se você identificou que a maior parte de seu tempo e energia está concentrada em atividades táticas requeridas para fazer seu negócio continuar operando com eficiência.

Esse padrão é, de certo modo, natural, pois as demandas necessárias para uma empresa funcionar com eficiência são diárias e operacionais. O grande ponto para reflexão, no entanto, é que se não está havendo tempo hábil e de qualidade para a construção das bases para o futuro do seu negócio, como emergirão alternativas e possibilidades com esse fim?

Na introdução desta obra, comentamos que a concentração excessiva em atividades táticas orientadas, exclusivamente, a maximizar a eficiência operacional da organização fazia sentido em um mundo mais estável, linear e com poucas mudanças estruturais, visto que as condições competitivas estavam postas. Porém, em um ambiente dinâmico, repleto de transformações e rupturas, é necessário equilibrar esse foco com reflexões estratégicas orientadas à longevidade do negócio. É indispensável abrir espaço na agenda do líder para que existam as condições práticas para o equilíbrio entre esses dois vetores: presente e futuro.

A despeito de essa visão ser coerente e racional, é imprescindível reconhecer que essa dinâmica compreende um dos maiores desafios para líderes organizacionais.

John Davis é uma das maiores autoridades mundiais em gestão de empresas familiares. Durante mais de quarenta anos, o professor do MIT, dedica-se a contribuir para que organizações tradicionais encontrem caminhos sustentáveis para sua longevidade. Valendo-se de sua larga experiência na interação com líderes dessas companhias, Davis afirmou em nossa conversa que, em relação às pressões para que esses líderes olhem para o futuro, a dura realidade é que vivem atolados com demandas operacionais que consomem 100% do tempo e da agenda. O mantra identificado com propriedade pelo expert pode ser traduzido na sentença: "Estou o tempo todo distraído das coisas importantes por estar concentrado em tudo o que é urgente".

O velho e bom padrão de "apagar incêndios" dá as caras e se potencializa em um mundo repleto de estímulos e imprevistos. Indo além dessa perspectiva, Davis aponta que, na realidade, muitos líderes têm predileção por ficarem focados em questões operacionais. Um dos motivos desse comportamento é que foram forjados e cresceram realizando esse perfil de atividades, já que são oriundos de um ambiente com essas características.

A orientação para atividades operacionais também traz o benefício de uma maior percepção de controle, visto que, por natureza, são mais previsíveis e racionais (perfil muito distinto das tarefas relacionadas a inovação, por exemplo, em que o risco é inerente a essa condição). Uma consequência, até natural, desse comportamento é que há uma tendência de organizações que adotam esse padrão ao canalizar seu foco de modo predominante em iniciativas destinadas à geração de resultados financeiros de curto prazo, como demonstramos no Capítulo 2, ao explorar a visão do líder exponencial.

Via de regra, companhias e líderes que adotam esse padrão destinam pouco esforço e pouca energia à criação de valor futuro do negócio e delegam à equipe toda a indispensável necessidade de preservação do valor presente. Um efeito perigoso, muitas vezes invisível, acontece no time quando o líder implanta esse ritmo. Seus colaboradores ficam ansiosos e inseguros, e não se sentem estimulados a pensar e implantar novas possibilidades que coloquem em risco a rentabilidade do negócio nesse estreito período. O medo paralisa a organização na busca pelo novo.

Além da aversão ao risco de ações que impactarão os resultados de curto prazo, esse comportamento costuma gerar maior inclinação à execução de tarefas imediatas sem o devido estímulo a reflexões mais ambiciosas e distantes das tradicionais, pois o foco é a manutenção do estado atual. Os profissionais, então, transformam-se em meros agentes tarefeiros. Consequentemente, todo o sistema torna-se avesso à inovação, rechaçando a construção de proposições disruptivas. Além disso, seus líderes assumem, basicamente, o papel de gestores que zelam pela manutenção do *statu quo* de sua jornada.

A questão é: quanto mais tempo levar para essa dinâmica ser alterada, maior o risco para a sustentabilidade da empresa, que sedimentará um sistema de gestão rígido, inflexível e com pouco espaço para inovação. É importante esclarecer, no entanto, que a orientação para gerar resultados de curto prazo e eficiência operacional é fundamental para a sustentabilidade das organizações. Vale evidenciar, também, que, atualmente, líderes são pressionados por duas forças que agem concomitantemente. Uma se refere à performance da companhia, que se traduz na entrega do melhor resultado possível para a operação do negócio. A outra é na adaptação e transformação do negócio, tão requerida e necessária nesse mundo novo que abordamos neste livro.

MOTORES DE CRESCIMENTO

Reimaginar tanto o futuro quanto a estrutura da organização, pesando as tendências de comportamento dos clientes, e reinventar a estratégia e a cultura da empresa é um caminho essencial para garantir a longevidade dela. O equilíbrio desses dois vetores, presente e futuro, deve estar no topo da agenda dos líderes que, se negligenciarem essa visão, colocam suas organizações em risco iminente. É dessa perspectiva que emerge a visão do líder ambidestro.

Quem trouxe primeiro essa dimensão da liderança foi Jeff Immelt, CEO da GE entre 2001 e 2017. Segundo Immelt, o líder ambidestro combina eficiência com criatividade na constituição de uma estrutura que se dedica a atender às demandas de mercado de modo efetivo e também incentiva o empreendedorismo no desenvolvimento de novas possibilidades. Essa definição equilibra as iniciativas relacionadas à inovação com a eficiência operacional dos negócios estabelecidos.

O líder ambidestro, portanto, alia foco no plano tático (atividades operacionais) à visão estratégica (cada vez mais relacionada à inovação). Resgatamos aqui a visão de Silvio Meira quando afirma que uma das principais responsabilidades do líder atualmente é capturar o valor futuro para o presente, e aliamos a essa premissa uma dimensão fundamental, sem perder a eficiência operacional do negócio.

Um dos conceitos que mais despertou interesse e atenção dos leitores de nossa obra *Gestão do amanhã* foi a tese, desenvolvida pela consultoria Bain & Company, sobre os motores de crescimento de uma organização na atualidade. De acordo com essa visão, toda empresa deve ter dois motores de crescimento em seu negócio, atuando de maneira concomitante: o motor 1 (foco na operação atual) e o motor 2 (foco no futuro).[14]

Os dois motores demandam abordagens distintas muito específicas. No motor 1 são necessários muita disciplina, melhoria contínua nos processos e monitoramento constante na redução de riscos para a operação, sobretudo os financeiros – o foco aqui é a obtenção da máxima eficiência operacional. No motor 2, por sua vez, é requerida uma gestão baseada em agilidade, maior propensão ao risco, originalidade e uma estrutura financeira específica, visto que o retorno sobre o investimento sempre será de longo prazo. Existe, também, a clara perspectiva da perda de recursos em apostas que não darão certo e que, por isso, deverão ser descontinuadas. O foco aqui está na busca por inovações que garantirão o futuro do negócio.

O motor de crescimento 2 sempre se orientará à criação de um novo negócio mais apto a catalisar as novas demandas dos clientes, a nova arena competitiva, as ameaças e oportunidades da nova economia. Essa iniciativa não deve ser encarada apenas como uma fonte de novos negócios e, sim, como o veículo que transformará totalmente a companhia no futuro. Por esse motivo, os dois motores atuam juntos de maneira equilibrada e interdependente. São modelos clássicos de motores 2: os laboratórios de inovação, iniciativas de aproximação com o ecossistema de startups, formação de fundos de investimentos para aquisições estratégicas que permitam a geração de novos negócios, entre outras modelagens que têm como objetivo comum a construção de bases para o futuro sustentável da organização.

O MITO DE JANUS

Outra referência para nos ajudar a definir o líder ambidestro de maneira clara e prática vem dos autores Charles O'Reilly III e Michael Tushman, que, em artigo publicado na *Harvard Business Review*,[15] conceituaram a visão da organização ambidestra.

Para ilustrar essa perspectiva, recorreram a uma metáfora da mitologia romana citando o deus Janus, que tem dois conjuntos de olhos: um par focado no que ficou para trás e outro no que está por vir. Assim, ele equilibra seu foco, simultaneamente, nessas duas orientações.

Tal qual Janus, os líderes corporativos nos dias atuais devem olhar constantemente para trás, mirando nos produtos e processos do passado, ao mesmo tempo que olham adiante, viabilizando as inovações que definirão seu futuro. Isso requer executivos que equilibrem atenção e foco: que desvendem novas oportunidades e que também trabalhem diligentemente para explorar as capacidades atuais da organização.

Organizações ambidestras aliam esses dois olhares estruturando seus negócios em unidades dedicadas a extrair o melhor resultado possível da operação atual, junto com outras orientadas a desenvolver novas proposições ao futuro (como os exemplos citados anteriormente de referências de motor 2).

O'Reilly e Tushman desenvolveram as principais dimensões do escopo dessas duas estruturas, que nos ajuda a definir seus limites e fronteiras. Vamos adaptar, no quadro a seguir, essa visão com o conceito de motores de crescimento para ficar clara a sinergia entre as visões.

ALINHAMENTO DE	MOTOR 1	MOTOR 2
INTENÇÃO ESTRATÉGICA	Custo, lucro.	Inovação, crescimento.
TAREFAS CRÍTICAS	Operação, eficiência, inovação incremental.	Adaptabilidade, novos produtos, inovação de ruptura.
COMPETÊNCIAS	Operacionais.	Intraempreendedoras.
ESTRUTURA	Formal, mecanicista.	Adaptativa, flexível.
CONTROLES E RECOMPENSAS	Margens, produtividade.	Marcos, crescimento.
CULTURA	Eficiência, baixo risco, qualidade, clientes.	Tomada de riscos, velocidade, flexibilidade, experimentação.
PAPEL DO LÍDER	Autoridade, *top down*.	Visionário, envolvente.

Essa categorização nos permite ter uma percepção mais bem definida quanto às fronteiras de cada frente nas diversas dimensões do sistema corporativo. E um dos benefícios dessa separação é que nos traz uma clara perspectiva de como a inovação se equilibra nessa arquitetura com a orientação na investigação das pioneiras e radicais ao mesmo tempo que persegue aquelas que representam ganhos incrementais da operação.

Essa arquitetura corrobora nossa tese de que a eficiência operacional do motor 1 não deve preterir a inovação. Na realidade, ela está presente nas duas estruturas, configurando-se de natureza particular em cada uma delas.

Conforme demonstrado anteriormente no quadro, no motor 1, temos a chamada inovação incremental, caracterizada como aquela que gera incrementos constantes na operação a partir de seus produtos e operação atuais. O objetivo é viabilizar o maior ganho de eficiência possível e a entrega crescente de valor aos clientes da empresa.

No motor 2, temos a inovação de ruptura definida. Ela transforma fundamentalmente algum componente ou elemento da arquitetura de negócios, criando perspectivas que vão além do modelo original da organização. Essa modalidade gera rupturas no sistema atual da empresa.

Um ponto fundamental desse conceito é que a despeito de essas duas estruturas serem autônomas, elas devem estar interrelacionadas para serem aproveitadas todas as sinergias dos novos projetos com os recursos existentes da organização.

Pedro de Godoy Bueno é um dos representantes mais emblemáticos de uma nova casta de jovens líderes brasileiros. Com pouco mais de 30 anos, foi eleito o Empreendedor do Ano de 2021 pela EY,[16] e é o bilionário mais jovem do Brasil. Como um dos principais acionistas do Grupo Dasa, um dos maiores do setor de saúde no país, é um dos líderes responsáveis pela modernização e pelo crescimento do negócio.

Na organização, Pedro tem se dedicado à construção da sua ambidestria por meio de diversas estruturas, por exemplo, inovação aberta, laboratório de inovação, aproximação com startups, entre outras iniciativas com esse perfil.

Em nossa conversa, Pedro compartilhou um dos aprendizados principais nesse processo: a necessidade de que as estruturas com o perfil do motor 2 sejam desenvolvidas distantes da rotina do negócio, do contrário serão absorvidas pelas demandas diárias recebendo uma influência que gera maior aversão ao risco e tendência de manutenção do *statu quo*. O próprio sistema organizacional, muitas vezes de maneira velada, sabota as inovações disruptivas.

Pedro, no entanto, deixa claro outro aprendizado prático tão importante quanto o anterior, que diz respeito ao design dessa arquitetura: não pode haver uma distância muito grande entre essas duas unidades. Com isso, não há o aproveitamento de todos os recursos clássicos da organização construídos ao longo de sua trajetória, como conhecimento, experiência, capital relacional (relacionamentos estabelecidos com os diversos agentes de seu ecossistema), financeiros etc.

Desse modo, quando não estão conectadas, as unidades atuam como entidades autônomas, e o objetivo central do projeto, que é gerar equilíbrio entre as duas orientações, presente e futuro, dá lugar a uma visão fragmentada e pulverizada. Assim, é responsabilidade do líder construir as bases dessa conexão e preservar sua interdependência. Note a relação dessa dimensão com o líder como arquiteto de negócios. No caso do líder ambidestro, essa perspectiva se destina à arquitetura interna da operação para que ela se adapte ao seu modelo de negócios.

Pedro comenta que uma das estratégias adotadas na organização que lidera foi correlacionar os objetivos e as metas de modo interdependente nas duas estruturas. Os colaboradores envolvidos com projetos relacionados ao motor 1 têm metas relativas ao 2 e vice-versa. Com isso, de acordo com o líder, todos se sentem parte da transformação e estão conectados a um objetivo único.

Em termos de orientação estratégica e consolidação dessa visão única, o empreendedor suíço Alex Osterwalder, em nossa conversa, apontou uma metáfora interessante para entender a relevância do equilíbrio dessas duas perspectivas. Toda organização deveria se posicionar como um fundo de *venture capital*. Por definição, esses fundos são veículos de investimentos dedicados ao fomento de negócios e empreendedorismo de alto risco, alto retorno e potencial de crescimento. Esses modelos se consolidaram fortemente nos últimos anos, uma vez que encontraram nas startups terrenos férteis para validar suas teses de multiplicação de capitais. Osterwalder utiliza essa metáfora para defender a tese de que toda organização deveria diversificar seu portfólio, mantendo em sua carteira ações mais estáveis (o negócio atual), à medida que investe em novas frentes não mapeadas de alto potencial e alto risco.

Ao líder cabe estruturar as bases para essa estratégia tendo clara dimensão de que, como em um fundo de *venture capital*, algumas iniciativas não resultarão em sucesso. Em contrapartida, as que forem exitosas, devido a seu alto poder de alavancagem, compensam todo o investimento realizado nessas frentes. Observe como essa filosofia é frontalmente oposta à visão tradicional da liderança que sentencia a maximização total dos resultados da organização evitando turbulências e riscos.

Recorrendo a uma visão apresentada na obra *Ágil do jeito certo* para sintetizar a visão do líder ambidestro e a arquitetura que equilibra essas duas dimensões, o desafio das organizações não é substituir seu foco em eficiência operacional e maximização de seus recursos por um orientado a inovações de ruptura e novas estruturas, mas, sim, encontrar um equilíbrio entre eles.

SUBSTITUA O MEDO DA PERDA PELA MOTIVAÇÃO

Toda organização precisa administrar o negócio e saber operar. Além disso, toda empresa necessita transformar o negócio, criando continuamente não só novos produtos e serviços, mas novos métodos e procedimentos operacionais. Precisa saber inovar. Embora cada tarefa exija competências distintas, as duas não são inimigas. São habilidades complementares, interdependentes e mutuamente benéficas que precisam uma da outra para sobreviver. Um foco insuficiente na inovação produz uma empresa estática que não conseguirá se adaptar a novas circunstâncias. Uma ênfase insuficiente na operação gera o caos – baixa qualidade, altos custos e riscos sérios para clientes e para a empresa. Criar um sistema no qual essas duas dimensões convivam harmonicamente é de responsabilidade do líder ambidestro.

É evidente que, a despeito da coerência da justificativa dos benefícios desse modelo, sua implementação envolve desafios relevantes. Ignorar essas adversidades e, simplesmente, dedicar-se a estruturar um sistema com essas características é fórmula certa de fracasso. Líderes incautos e ansiosos por desenvolver premissas que confiram mais adaptabilidade a seus negócios recorrem a fórmulas fáceis, como copiar modelos estabelecidos por outras organizações.

A adoção desse comportamento na tentativa de abreviar o processo resulta em efeito contrário, porque a empresa não desenvolve sua capacidade de adaptar, customizar e harmonizar todos os elementos de seu sistema operacional. Além disso, ao copiar uma estrutura organizacional alheia sem adequar o sistema à realidade da organização, a empresa acaba destruindo estruturas de responsabilidade nas unidades de negócios existentes e cria silos novos nos times envolvidos no motor 2, gerando uma percepção de hierarquia entre esses e os profissionais alocados no negócio corrente. A interdependência, então, mais uma vez, dá lugar à segregação, e o líder ambidestro não atinge seu objetivo "apenas" construindo unidades específicas para cada orientação.

Instituir uma boa governança para a gestão desses dois modelos é o caminho para engajar toda organização no mesmo objetivo. Aqui é importante dimensionar adequadamente o significado de governança no ambiente empresarial (inclusive porque recorreremos a esse conceito no próximo capítulo).

O termo ficou muito associado a questões de conformidade da empresa com padrões éticos e legais com a popularização dos conceitos sobre governança corporativa que emergiram com força no início dos anos 2000, decorrentes de problemas com organizações que fraudaram o sistema na busca de obtenção de benefícios para alguns executivos. No entanto, governança é um conceito que transcende essa visão específica e deve ser entendida como o conjunto de processos, costumes, políticas, leis e regulamentos que ditam a maneira como a empresa é dirigida, administrada e controlada.

Quando falamos em uma governança para a gestão dos dois modelos na organização, nos referimos a essa dimensão que define claramente as regras do jogo sobre como essas frentes serão administradas. Sem a governança que tolhe e limita as ações que devem evoluir de acordo com critérios definidos, ela tem o benefício de dar transparência a todos os componentes do negócio sobre seu papel e sua responsabilidade para o sucesso do projeto.

Ao estabelecer de maneira clara os critérios e as práticas desse processo, o líder ambidestro combate um dos obstáculos importantes em processo de transformação: a insegurança e o medo das pessoas. O psicólogo Daniel Kahneman, renomado professor da Princeton University e Prêmio Nobel de Economia, apresentou, em seus estudos, uma tese central correlacionada diretamente com essa dinâmica: as pessoas, de modo geral, não temem a mudança e, sim, a perda. Segundo esses estudos, o medo de perder tem o dobro de força psicológica da esperança de ganhar.

Uma transformação na organização para uma estrutura ambidestra não deveria despertar o medo da perda de controle sobre as operações derivada da mudança. Ou, ainda, a perda das expertises ou da maneira de trabalhar. Essa percepção deve ser substituída pela motivação e empolgação pelo desenvolvimento de novas estruturas que serão responsáveis pela prosperidade futura da companhia e de seus colaboradores (sem importar qual dos motores adota ou qual função exerce na empresa).

ESTIMULE O POTENCIAL DOS SEUS FUNCIONÁRIOS

Quando bem estruturada e comunicada, a governança contribui para mitigar as inseguranças e aumentar o engajamento de todos na organização que têm clareza e transparência sobre a evolução do projeto, seus objetivos e seu papel nessa jornada. A construção dessa governança envolve um passo fundamental na estrutura desse sistema: a organização das equipes de trabalho.

Um dos erros comuns que observamos em projetos malsucedidos de desenvolvimento de inovações é a empresa negligenciar essa divisão e não desenvolver as fronteiras claras de cada motor de crescimento. John Hagel III, em Learning and Strategy,[17] apresenta uma abordagem que pode ajudar bastante nessa organização com o conceito do *zoom in* e *zoom out*. De acordo com essa visão, os times podem ser divididos com claros objetivos no que concerne ao horizonte do impacto do tempo no negócio.

O horizonte *zoom out* tem uma orientação para uma visão de dez a vinte anos quanto ao negócio e endereça duas questões: quão relevante será nosso mercado ou segmento daqui a dez ou vinte anos e qual é o perfil de organizações que devem existir para serem bem-sucedidas nesse contexto? Em paralelo, o horizonte *zoom in* tem como foco a faixa de seis a doze meses e endereça outras questões-chave, por exemplo: quais são as duas ou três iniciativas que devem ser desenvolvidas nos próximos seis a dozes meses que terão grande impacto na aceleração de nossos movimentos para aproveitar oportunidades de longo prazo e que recursos críticos devem ser desenvolvidos para viabilizar essas duas ou três iniciativas nos próximos seis a doze meses? Essas duas perspectivas podem ser norteadoras na definição das fronteiras e dos objetivos dos dois motores de crescimento.

Ao enunciar o foco do motor 1 dessa maneira, há o benefício de correlacioná-lo à sustentabilidade de futuro da companhia mostrando sua relevância nesse contexto. Além disso, ao definir esse modelo que contempla a geração de resultados de curto prazo como estratégica, o líder ambidestro contribui para diminuir a ansiedade de todos na organização quando as apostas estão centradas apenas em projetos de maturação lenta e resultados imprevisíveis. O medo tende a dar lugar à empolgação quando há a percepção de que o projeto está evoluindo. Essa dinâmica também visa diminuir o risco das iniciativas do motor 1 serem centradas exclusivamente em inovações incrementais que produzem benefícios apenas em curto prazo, perdendo valor ao longo do tempo.

A orientação ao *zoom out*, por sua vez, orienta forçosamente os envolvidos a pensarem de maneira ambiciosa em um futuro sem precedentes, obrigando-os a refletir sobre uma realidade inédita e imprevisível (mesma dinâmica que trabalhamos no líder exponencial).

Uma dinâmica importante que comprovadamente gera resultados diz respeito à clara definição dos objetivos de cada uma dessas unidades. Esses objetivos devem ter critérios claros e serem definidos de modo a facilitar o entendimento de todos. Sobretudo no início da arquitetura do modelo, estabelecer um número reduzido de iniciativas contribui para o fortalecimento do foco e, principalmente, para o aprendizado proveniente do processo de execução e implantação do projeto. A adoção disciplinada de rituais é uma das estratégias recomendadas para consolidar essa estrutura em todo o sistema da organização.

Bill Taylor, no artigo How Leaders Can Balance the Needs to Perform to Transform [Como líderes podem equilibrar as necessidades de performar para transformar, em tradução livre], publicado na *Harvard Business Review*,[18] relata como Gerry Ridge, CEO da icônica empresa WD-40 – popular removedor que no Brasil se popularizou, simplesmente, como WD –, desenvolveu um ritual ao observar que sua equipe estava muito focada na execução da rotina diária, perdendo, assim, oportunidades de inovação que definiriam o futuro da companhia. Ele desenvolveu seu motor 2 a partir da criação do *team tomorrow* (algo como "time do amanhã", em português). Essa equipe é composta por um pequeno grupo multifuncional de profissionais de pesquisa e desenvolvimento, marketing e finanças que têm a responsabilidade de investigar oportunidades para os próximos dez a quinze anos do negócio (o *zoom out*).

Taylor comenta que não se trata de uma iniciativa que envolve um grande orçamento, tendo em vista que se baseia em um pequeno grupo de executivos afastados temporariamente de suas iniciativas correntes para se dedicarem ao desenvolvimento de ideias que definiriam o futuro da WD. Os primeiros resultados dessa iniciativa têm sido tangibilizados na forma de uma série de novos produtos e novas tecnologias lançadas no mercado pela tradicional organização que tem mais de setenta anos de vida.

Essa referência nos traz uma dimensão importante sobre o tamanho dos times de trabalho estruturados para atender a projetos específicos. Jeff Bezos popularizou a visão na Amazon do *two-pizzas team* como metáfora para a perspectiva de que um time não pode ser tão grande que não possa ser alimentado com duas pizzas. Esse é um dos mantras da organização na formação e no desenvolvimento de times alocados por projetos. Essas equipes devem ser estruturadas de modo muito criterioso para que os resultados sejam atingidos em seu pleno potencial. No próximo capítulo, vamos explorar a dimensão do líder colaborador, para endereçar essa modelagem de maneira prática.

Por enquanto, vamos ancorando a dimensão do líder ambidestro como responsável por zelar pela maximização dos recursos da organização com a construção das bases para um futuro ambicioso e sustentável. Para isso, ele estrutura um sistema organizacional com base nos dois motores de crescimento de maneira interdependente e equilibrada. A tecnologia é sua aliada nessa busca, pois oferece ferramentas poderosas para viabilizar os planos e o projeto tanto no que se refere à organização do trabalho quanto nas possibilidades de expansão do negócio.

Esse modelo deve ser regido por uma clara governança que mitiga a insegurança das pessoas pertencentes àquele sistema, mostrando claramente o papel e a responsabilidade de cada um, independentemente da função ou do cargo que ocupa. Esse sistema, no fim das contas, contribui para que a organização se aproveite do maior potencial possível presente na contribuição de cada um de seus colaboradores.

O líder ambidestro entende que não é aumentando o número de vezes que preveem, comandam e controlam as atividades de sua empresa que vão criar o máximo valor para a organização, mas, sim, dando vazão ao potencial inexplorado de seus colaboradores. O líder que adota esse modelo pensa em termos de sistemas, criando estruturas que viabilizam o equilíbrio da dimensão presente e futura do negócio.

Um aspecto central para que esse sistema funcione é o modo como o trabalho é organizado. A captura do valor potencial de todos os colaboradores do negócio pressupõe alta dose de colaboração coordenada de maneira organizada. Essa é a próxima dimensão do líder de nossa constelação: o líder colaborador.

Vamos nessa!

LÍDER TRADICIONAL × LÍDER AMBIDESTRO

LÍDER TRADICIONAL	LÍDER AMBIDESTRO
Concentra a maior parte de seu tempo na gestão de atividades táticas.	Equilibra seu foco em atividades de natureza tática com as estratégicas.
Destina seu esforço exclusivamente para a administração e operação do negócio.	Alia o esforço na administração e operação do negócio com sua transformação.
Dedica-se, exclusivamente, à construção de um sistema de gestão focado em aumentar a eficiência operacional do negócio (seu motor 1).	Constrói um sistema de gestão que alia estruturas destinadas à eficiência operacional (seu motor 1) a outras orientadas a seu futuro (seu motor 2).
Orienta seu foco apenas em inovações incrementais.	Equilibra seu foco em inovações incrementais e de ruptura.
Não se preocupa com fronteiras claras entre as iniciativas de curto e as de longo prazo.	Desenvolve fronteiras claras entre as iniciativas de curto e as de longo prazo.
Segrega as atividades dos motores 1 e 2 de crescimento do negócio sem uma visão integrada de suas atividades.	Conecta as atividades dos motores 1 e 2 de crescimento do negócio, fortalecendo a interdependência das unidades.
Copia modelos bem-sucedidos de outras empresas, implantando-os em seu negócio.	Desenvolve modelos originais, aprendendo com experiências bem-sucedidas de outras empresas, porém adaptando-as às particularidades da empresa.
Não se preocupa em destruir silos entre os motores de crescimento da empresa.	Dedica-se a destruir silos entre os motores de crescimento da empresa, integrando a todos.
Não se dedica a construir uma governança para inovação em seus negócios.	Estrutura as bases para um sistema de governança em seu negócio.
Despreza a oportunidade de construir rituais para fortalecer a ambidestria da empresa.	Desenvolve rituais para fortalecer a ambidestria da empresa.

ACESSE O QR

Quer saber mais sobre o líder ambidestro? Acesse https://gestaodoamanha.com.br/app/lideranca-disruptiva/lider-ambidestro ou aponte a câmera do seu celular para o QR Code ao lado e confira um conteúdo exclusivo!

O líder ambidestro entende que não é aumentando o número de vezes que preveem, comandam e controlam as atividades de sua empresa que vão criar o máximo valor para a organização, mas, sim, dando vazão ao potencial inexplorado de seus colaboradores.

CAPÍTULO 6
O LÍDER COLABORADOR

Uma das jornadas mais épicas da história dos negócios tem como protagonista Steve Jobs. Em 1997, depois de ter sido afastado compulsoriamente doze anos antes, retorna à Apple, empresa que havia fundado, e lidera uma retomada que levou uma companhia em descrédito ao posto de maior organização em valor de mercado do mundo, a primeira a atingir a marca de 1 trilhão de dólares de *valuation*. O que poucos se dão conta, no entanto, é de que essa jornada de retomada teve como protagonista um equipamento que caiu no esquecimento: o iPod.

Em 2001, quando Jobs fez o ruidoso novo lançamento da Apple, muitos imaginavam que estava sendo lançado um simples equipamento de música portátil para competir com o soberano *walkman* da Sony. O que estava por trás desse movimento, no entanto, seria o início de uma verdadeira revolução que culminaria com a potência do iPhone e seus desenvolvimentos sucessórios.

O iPod inovou criando uma ruptura na categoria ao unir no mesmo equipamento a portabilidade de ouvir músicas com o lançamento de uma plataforma digital na qual os usuários poderiam baixá-las individualmente sem a necessidade de adquirir um álbum completo para ouvir as poucas faixas preferidas. Conforme comentamos no Capítulo 4, essa arquitetura foi viabilizada por meio do iTunes, que era a plataforma digital disponibilizada para acessar as músicas desejadas. Com isso, a Apple desenvolveu uma plataforma completa unindo o equipamento físico (o iPod) com o virtual (o iTunes) e gerou uma ruptura em relação ao modelo até então hegemônico do segmento.

A questão que emerge dessa saga corporativa é: por qual motivo a Sony não foi a empresa que desenvolveu essa arquitetura? A empresa praticamente inventou o setor com o lançamento do *walkman* em 1979 e revolucionou a experiência do cliente. Com isso, adquiriu a liderança inconteste do segmento transformando seu produto em sinônimo da categoria. Como se não bastasse a experiência em música portátil, o Grupo Sony era composto por divisões especializadas em desenvolvimento de produtos eletrônicos e pela gravadora, a Sony Music (acesso a um acervo único de artistas e canções). Com isso, dominava os canais de distribuição e vendas de seus produtos. Note que todos esses atributos foram essenciais para o sucesso do iPod.

Recorrendo a um dito popular, a Sony tinha a faca e o queijo na mão. Afinal, por que não conectou os pontos e desenvolveu essa inovação que sentenciaria a decadência de um de seus produtos mais icônicos? É inescapável que a resposta a essa questão passe pelo tema central deste capítulo: colaboração (ou a falta dela, para sermos mais precisos).

Enquanto Jobs se dedicou a integrar todas as áreas-chave da Apple para desenvolver um produto único, reunindo sua experiência em design, interface com o usuário, desenvolvimento de softwares, entre outros, a Sony estava organizada em divisões descentralizadas e que não atuavam de maneira interdependente. A falta de colaboração entre essas divisões tornou a Sony um território hostil, e o que deveria ser uma competição entre negócios, entre empresas diferentes, tornou-se uma busca de espaço dentro da própria organização. A armadilha foi acreditar que unidades concorrentes eram capazes de lançar projetos ambiciosos e integrados em ambientes tão pouco receptivos.

É evidente que a colaboração não foi o único motivo de sucesso do iPod, porém imagine se a Apple não tivesse incentivado a cooperação entre suas equipes de trabalho? E se as equipes de software e hardware trabalhassem de acordo com suas agendas particulares, a primeira desenvolvendo o iTunes enquanto a outra se dedicava a produzir o iPod? E se o projeto tivesse sido prejudicado por constantes combates entre unidades e atrasado por anos? Considere também o oposto. E se houvesse colaboração dentro das unidades da Sony e as divisões trabalhassem unidas para produzir uma solução única, conectando todas as expertises do grupo? Certamente, se esse cenário se configurasse em realidade, a história teria outros contornos.

INTEGRAÇÃO E DIFERENCIAÇÃO: EQUILÍBRIO DE FORÇAS

No modelo convencional, as empresas se habituaram a uma arquitetura organizada em departamentos funcionais estruturados para privilegiar a especialização e centralização das informações. Consequentemente, líderes de unidades de negócios e de áreas funcionais cuidam de seus respectivos silos, informando os resultados e cuidando de seus interesses. A carência de interlocução e interdependência com outras áreas faz com que as decisões tenham a tendência de priorizar a agenda dos líderes funcionais em detrimento de uma perspectiva mais ampla do negócio.

O líder principal do negócio, seu CEO ou presidente, assume a responsabilidade de mediar os interesses de cada silo em prol da criação de uma estratégia unificada que privilegie o todo. Com isso, boa parte da agenda desse líder é destinada ao papel de árbitro de situações conflituosas entre as áreas. Esse papel fortalece ainda mais os silos na geração de um ciclo sem fim, no qual a colaboração dá espaço a intermináveis discussões e negociações entre departamentos – isso quando o padrão não é o estímulo à concorrência entre áreas.

Seria esse o papel de um CEO em um ambiente cada vez mais desafiante como o nosso? Deveríamos nos surpreender que a colaboração falhe em ambientes projetados para a prática oposta – competição e independência?

Parece-nos que essas indagações já escondem no enunciado suas respostas. É evidente que não.

Como demonstramos, em um ambiente cada vez mais interconectado que demanda a integração da organização para responder às necessidades dos mercados, extrair o maior potencial possível dos colaboradores de uma organização é uma das responsabilidades centrais do líder.

A criação de ambientes colaborativos responde a essa necessidade, uma vez que visa construir um sistema interno que promova conexões de valor entre todos na companhia. Interessante notar como o próprio Jobs reinventou-se e amadureceu essa visão. No início da Apple, o empreendedor adotava como prática estimular a concorrência entre seus colaboradores. Quando incentivou o hasteamento da bandeira de piratas em 1984 no prédio da equipe responsável pelo Mac em um movimento que se tornou ícone no Vale do Silício, Jobs sempre provocava as outras equipes com essa visão, estimulando rivalidade entre os pares. No entanto, quando retorna à empresa, treze anos depois, inicia outro movimento, adotando como mantra a visão da integração (conforme abordamos no Capítulo 1) e populariza sua perspectiva pessoal de que "a integração é a única maneira de fazer produtos perfeitos".

Em toda organização sempre estão presentes duas forças simultâneas e opostas: integração e diferenciação, como comentou Ram Charan em nosso diálogo. Diferenciação é a necessidade de a organização se dividir em partes definidas por funções e atividades – vendas, marketing, finanças etc. Integração é o meio pelo qual são gerados resultados entre esses silos.

Existe um antagonismo entre essas duas forças. É intuitivo pensar que quanto mais diferenciada for a organização, menos integrada ela é – como no caso da Sony. Porém, as empresas que melhor performam na atualidade conseguem encontrar meios de conciliar essas duas forças: elas são diferenciadas, mas capazes de agir com propósito singular que unifica toda a companhia.

A colaboração, portanto, é a liga que une as visões funcionais com a integrada e comum. Quando a companhia segue o modelo convencional, o processo decisório é sequencial e não simultâneo. Com isso, a informação segue um fluxo que, além de mais moroso, vai sofrendo impactos de visões particulares de acordo com sua evolução. O resultado é menor velocidade no processo de tomada de decisões à medida que os silos se fortalecem, porque quem tem o poder decisório tende a ter mais força, afinal o processo depende de sua resolução.

Assim, há aumento da importância das deliberações políticas em detrimento de maior racionalidade no processo. Não raramente, decisões tomadas por partes mais fortes em determinado sistema ganham espaço em relação às mais adequadas para a organização. Além disso, todo sistema encadeado é nivelado de acordo com seu agente menos qualificado, que é o balizador do resultado do processo.

O líder colaborador não apenas colabora constantemente, mas também rege suas equipes por meio da construção de um sistema que reúne interação ativa com trabalho individual, criando ritmo para a organização. Esse líder entende a importância do equilíbrio, já que por um lado a interação em exagero pode gerar tanto prejuízo quanto a ausência de colaboração.

Maira Habimorad é uma líder jovem e talentosa que tem larga experiência nutrida ao longo de mais de dezessete anos de atuação na Cia de Talentos – principal empresa do Brasil em processos de contratação e desenvolvimento de jovens –, na qual esteve por mais de dez anos na posição de CEO. Atualmente, Maira tem ocupado a mesma posição à frente de projetos relacionados à educação na nova economia, o que lhe confere uma visão privilegiada sobre a evolução da liderança nesse contexto.

Em nossa conversa, Maira nos apresentou uma visão instigante: o problema não é ter líderes à frente de demandas tomando decisões autônomas. O problema é quando esse líder é um só e o mesmo sempre, o que se deve à sua posição hierárquica.

Recorrendo a um enunciado popular em inglês, a líder reforça sua perspectiva sobre esse movimento: *sometimes you lead, sometimes you follow* [às vezes você lidera, às vezes você segue, em tradução livre].

Para construir modelos e pensamentos originais é mandatório ter a disponibilidade de se colocar ora no papel de líder ora no de liderado. Em algumas situações, o líder será responsável pela tomada de decisões e em outras será liderado.

Uma das funções centrais do líder colaborador é dar ritmo a esse processo, equilibrando esses vetores na construção de um ambiente virtuoso e vibrante. Quando adota essa postura, construindo uma arquitetura de colaboração, o líder, em vez de se posicionar como mero extrator do conhecimento existente na organização, adota papel de promotor do conhecimento gerado pelo grupo.

Sandra Gioffi pontua que, dessa maneira, a extração de valor dá lugar à geração de valor, tendo como eixo central a resposta à indagação: como consigo fazer as pessoas darem o seu melhor para nosso projeto sendo sua melhor versão?

O líder medíocre se sente ameaçado com o sucesso de seus colaboradores, sabotando o protagonismo de todos – processo que acontece, muitas vezes, de maneira tácita. Essa visão, além de desprezível, não está em conformidade com uma visão pragmática de performance. Na realidade, ao dar espaço e empoderar as pessoas de sua equipe, o líder cresce e ganha relevância.

Quando consideramos a organização como um conjunto de capacidades reunidas pela soma das competências de cada indivíduo daquele sistema, entendemos a necessidade da criação de uma inteligência coletiva para dar conta dos desafios dela. É responsabilidade do líder promover esse contexto.

Gioffi ainda faz uma provocação ao sentenciar que colaboração traz muito mais do que bem-estar para os componentes da organização. Ela tem papel essencial no fortalecimento do senso de pertencimento desses agentes com a empresa, uma vez que colaborar é sentir-se parte de algo. Se o indivíduo tem a sensação de fazer parte de determinado grupo, ele fará de tudo para o projeto ser bem-sucedido, afinal esse sentimento fortalece seu vínculo com a visão e os objetivos comuns daquele contexto.

QUANDO IMPLEMENTAR UMA ESTRUTURA COLABORATIVA?

Para construir uma arquitetura de colaboração bem estruturada, há elementos essenciais como a construção de confiança entre os pares que fundamenta as relações. Sem essa condição, o processo não evoluirá. É necessária, também, uma filosofia que entenda o erro como parte do processo de aprendizado e que o ambiente não crucifique aqueles que, ao testarem novas perspectivas de modo autônomo, não atingirem os resultados desejados.

Existe, no entanto, uma dimensão estrutural que, tal qual no capítulo anterior, resgataremos aqui sua relevância. O líder precisa estabelecer as bases de uma governança para colaboração.

Guilherme Horn é um dos principais protagonistas da cena empreendedora digital do país. Foi fundador de *fintechs* bem-sucedidas, teve experiência relevante liderando a prática digital na América Latina da Accenture, uma das consultorias mais importantes do mundo e, atualmente, ocupa a posição de liderança em organizações protagonistas da nova economia.

Em nossa conversa, Horn resgata sua larga experiência na consultoria assessorando as principais empresas do planeta em sua adaptação a esse novo mundo, trazendo uma visão central para o sucesso nesse processo colaborativo: colaboração demanda *accountability*. O termo, que não tem tradução literal para o português, pode ser definido como os mecanismos ou sistemas para que indivíduos prestem contas e sejam responsabilizados pelo resultado de suas ações.

Traduzindo essa visão ao nosso contexto e integrando-a ao conceito de governança, o sistema de colaboração de uma companhia deve ter uma definição clara das regras e dos papéis de cada indivíduo nesse contexto. Uma das indicações mais evidentes nesse sistema envolve a responsabilidade dos indivíduos no processo respondendo previamente à indagação: quem é responsável pelas decisões?

Com a falta de resposta a essa pergunta, o efeito gerado pelo ambiente colaborativo é o oposto ao desejado, porque essa indefinição resulta em lentidão e ineficiência. Afinal, como não existe uma instância formal responsável pela evolução do processo, há a tendência de dois movimentos negativos: ou ninguém assume a responsabilidade para si e decisões críticas não são tomadas; ou poucos adotam esse papel, geralmente resguardado a sua posição hierárquica, e a colaboração se reveste em ilusão. Quando o sistema está mal concebido, a colaboração dá lugar à concorrência acirrada e à rivalidade.

Cabe ao líder colaborador definir, junto a seus pares, a governança para colaboração com a clara definição das regras do jogo, os papéis e as responsabilidades de cada componente da equipe, e também quando é necessária a tomada de decisão autônoma pelas áreas ou pessoas e quando a colaboração será requerida.

Sofia Esteves é uma das principais líderes corporativas do Brasil, fundadora da Cia de Talentos (a mesma organização em que Maira Habimorad é sócia) e uma das vozes mais ativas no ambiente empresarial do país. Ela declara que "quando tudo vira colaborativo, nada anda se não houver uma clara visão das regras do jogo e dos donos de cada iniciativa".

Em nossa pesquisa, o risco da supercolaboração se evidenciou de maneira muito clara nas mais diversas fontes. Além de nossas entrevistas com especialistas, estudos apontam essa dinâmica de modo categórico, conforme apresentado em artigo publicado por Ethan Bernstein, Jesse Shore e David Lazer na *MIT Sloan Management Review Brasil*.[19]

Eles exploram a importância da alternância como dinâmica essencial para a resolução de problemas na organização. Essa alternância pode ser traduzida pelo equilíbrio entre a interdependência nas decisões com a colaboração intermitente e a independência gerada por decisões autônomas ou de áreas funcionais. Uma das conclusões preciosas desses autores é que, diferentemente do que sugere o senso comum, deve haver mais liderança e não menos na construção de um sistema que tenha ritmo, alternando a interação abundante e o silêncio focado.

Na excelente obra *Collaboration*, Morten Hansen apresenta diversos estudos em profundidade sobre o tema para concluir que uma das decisões mais essenciais de todo líder não diz respeito à colaboração em si. Todos já entendemos sua relevância e pertinência. A questão mais relevante é *como* viabilizar a colaboração na organização.

Ainda de acordo com Hansen, o risco de não enunciar adequadamente a problemática gera a visão de que mais colaboração é necessariamente algo positivo, quando, na realidade, a perspectiva essencial é diferenciar a boa e a má colaboração, viabilizando um ambiente que gere essa dinâmica positiva. A governança nesse contexto responde a essas questões gerando transparência e organizando todos os esforços relacionados a essa dinâmica.

Para a construção desse sistema, Hansen traz uma perspectiva bastante concreta dos três passos que o líder colaborador deve seguir para viabilizar a colaboração em seus negócios. Essas etapas podem ser a base do sistema e compreendem:

1. **Avaliação das oportunidades de colaboração;**
2. **Identificação das barreiras à colaboração;**
3. **Desenho das soluções de colaboração.**

O primeiro passo é essencial para fugir do risco da colaboração pela colaboração. Sempre é necessário ter em mente que o objetivo nesse arranjo é a obtenção de melhores resultados para o negócio e que o método é um meio para isso e não seu fim. A principal questão a ser explorada nessa etapa é: quais ganhos adicionais temos com a colaboração nesse projeto?

Para responder a essa questão com racionalidade, os líderes devem considerar duas perspectivas centrais: o custo de oportunidade e o custo da colaboração. A tese é de que o projeto de colaboração deve ser implementado apenas se o valor líquido gerado pela colaboração for maior do que seu retorno menos a soma dos custos de oportunidade e o da colaboração.

Hansen chama isso de "colaboração premium", e ela pode ser sumarizada pela seguinte equação:

COLABORAÇÃO PREMIUM = RETORNO DO PROJETO - CUSTOS DE OPORTUNIDADE - CUSTOS DA COLABORAÇÃO

Para definir o custo da oportunidade, deve ser explorada a seguinte questão: o que mais poderíamos fazer com o tempo, o esforço e os recursos de um projeto de colaboração? É possível haver alternativas para melhor uso do tempo e esforço das pessoas em projetos com retornos melhores?

O custo de oportunidade é o fluxo de caixa líquido que as organizações renunciam ao fazer o projeto de colaboração em detrimento de outras iniciativas. O custo de colaboração, por sua vez, refere-se a todo o esforço e demandas requeridos para essa organização no desenvolvimento de projetos dessa natureza e compreende temas como: tempo extra para os encontros entre as equipes; tempo gasto negociando com outras partes os temas principais do projeto; esforço para resolver conflitos e a deliberar sobre os resultados negativos que podem ser gerados no processo, como atrasos, estouros de orçamento, qualidade, entre outros. O custo de colaboração, portanto, é o fluxo de caixa negativo resultante de todos esses fatores.

Os custos de colaboração tendem a ser altos em uma organização em que há muitas barreiras à colaboração. É responsabilidade do líder encontrá-las para derrubá-las e reduzir os custos do processo a quase zero, e essa é a segunda etapa do processo.

Observe que não se trata de aplicar a equação para decidir se será adotada a opção por colaborar ou não. A estratégia consiste em entender a natureza desses custos para analisar como reduzi-los por meio de uma intervenção no sistema organizacional.

O líder colaborador deve desenvolver um sistema que garanta que a colaboração tenha como efeito a geração de resultado positivo sendo rigoroso com os projetos que, a despeito dos esforços, têm potencial valor líquido que não supera os custos de oportunidade e colaboração.

Para atingir esse objetivo, a estratégia central é reduzir a quase zero as barreiras de colaboração, considerando que, conforme exploramos anteriormente, o sistema de gestão tradicional fortaleceu esses obstáculos na medida em que se organizou de maneira extremamente departamentalizada, favorecendo a decisão em silos em detrimento de uma visão mais inclusiva de todos nesse processo. Essa é a segunda etapa de nosso modelo.

A solução para aprimorar essa dinâmica não passa, simplesmente, por centralizar todo esse processo, o que não resultará em ganhos, mas, sim, por identificar as barreiras para colaboração existente na organização e derrubá-las construindo um modelo descentralizado e coordenado.

Em seus estudos, Hansen define as quatro principais barreiras à colaboração:

1. **"NÃO FOI INVENTADO AQUI":** as pessoas apresentam resistência a soluções que não foram desenvolvidas em suas próprias unidades, por si próprias ou por suas equipes. Com isso, não têm abertura para buscar ou fornecer informações para fora de sua unidade. Essa barreira é resultante de uma cultura que fortalece os silos e de líderes despreparados emocionalmente, inseguros quanto aos resultados de se abrir a ideias que não sejam de sua autoria, ou ainda arrogantes, nutrindo a crença de que apenas suas iniciativas são valiosas. A consequência dessa dinâmica, obviamente, é a sabotagem à cooperação.

2. **BARREIRA DA ACUMULAÇÃO:** colaborar dá trabalho, pois demanda um esforço específico para o processo funcionar. A barreira da acumulação se evidencia quando as pessoas têm dificuldades em equilibrar os vetores de fazer o próprio trabalho e ajudar os outros no sistema colaborativo. Diferentemente do anterior, esse obstáculo independe da boa vontade das pessoas e acontece em decorrência do excesso de tarefas, e também pela carência de uma visão clara dos incentivos à colaboração. *Por que devo colaborar se levarei mais tempo para cumprir meus objetivos pessoais?* Essa é uma questão-chave que deve ser enunciada na evolução de projetos com essas características.

3. **BARREIRA DA BUSCA:** esta, muito comum em ambientes corporativos, advém da assimetria de informações dentro de empresas nas quais existem demandas de conhecimento para resolução de problemas de um lado e, de outro, pessoas ou sistemas que ostentam esse conhecimento, porém não se encontram. Nesses ambientes há uma clara percepção de que a solução está

dentro da empresa para determinadas necessidades, porém não é possível encontrar essa informação. Essa dinâmica pode ser resultado de muitos fatores, por exemplo, o tamanho da organização, a distância entre as pessoas, sistemas com sobrecarga de informações (lembra-se de quando comentamos no Capítulo 3 sobre a paralisia advinda do excesso de dados?) e a inexistência de redes de conhecimento.

4. **BARREIRA DA TRANSFERÊNCIA:** caracteriza-se pela dificuldade que as pessoas têm de transferir conhecimento complexo de uma unidade para outra. Ela está muito presente quando há a necessidade de transferência de expertise, know-how específico de indivíduos e tecnologias particulares. Essa dinâmica é resultante da carência de estratégias para compartilhamento de conhecimento tácito, da falta de uma visão unificadora da organização que reúna todos em prol de um único desenho corporativo e da excessiva fragmentação das áreas que não estabelecem vínculos com outras unidades da organização.

Note que as primeiras duas barreiras relacionam-se a questões motivacionais – as pessoas não desejam colaborar –, enquanto as duas últimas se referem a problemas estruturais – as pessoas não conseguem colaborar.

Não existe um receituário predefinido em que cada barreira vai se expressar na organização. Diferentes situações geram diferentes barreiras. O líder colaborador deve se dedicar a analisar quais delas estão presentes estruturalmente em sua organização e também quais podem surgir de acordo com o projeto.

Assim como nenhuma solução serve para todas as situações, diferentes barreiras requerem diferentes soluções. É necessário cuidado ao escolher quais respostas serão geradas para cada circunstância, adaptando-as às particularidades daquela conjuntura específica.

Colaboração disciplinada significa primeiro avaliar quais barreiras estão presentes e, então, adaptar soluções para essas barreiras. Ao não realizar essa tarefa, o líder colocará em risco todo o sistema de colaboração, pois não terá uma visão ampla do contexto em que atua. É como jogar dardos no escuro: você não tem ideia do que está acertando.

Sem essa perspectiva, a escalabilidade do processo é comprometida, colocando em risco toda a dinâmica da colaboração, porque sempre existirá a resistência inercial para o modelo autônomo que gera maior sensação de controle e conforto.

A partir do diagnóstico das barreiras, a terceira etapa do processo consiste no desenho da solução de colaboração.

Esse desenho deve compreender a construção de uma visão unificadora que define de maneira clara e transparente para todos as regras do jogo. Três elementos são essenciais nessa estrutura: uma meta unificadora, o fortalecimento dos valores do trabalho em equipe e uma linguagem de colaboração.

O líder colaborador deve se dedicar a definir um objetivo unificador convincente que faça as pessoas se engajarem em uma causa maior que seus próprios objetivos pessoais. Para unificar as pessoas em prol desse objetivo comum, é necessário criar e demonstrar o valor do trabalho em equipe e definir claramente qual método será adotado para viabilizar esse arranjo. Lembrando que essa perspectiva não pode estar circunscrita exclusivamente à interação entre componentes da mesma unidade, devendo estar também na relação com outras unidades funcionais.

No que diz respeito ao modo de organização para colaboração, é inegável que as abordagens ágeis contribuem para viabilizar esse modelo, pois compreendem um método que visa reunir pessoas de áreas distintas com conhecimento multidisciplinar em prol da resolução de problemas específicos organizadas por meio de uma governança própria – é a tangibilização clara de uma arquitetura para colaboração.

No já citado artigo de Steve Denning para a *Forbes*,[20] o autor apresenta um ritual da companhia instituído por seus líderes que nos traz uma dimensão bastante concreta de um desenho de solução para colaboração que caminha por esses três elementos. Recuperando a obra de John Rossman,[21] Denning afirma que uma das estratégias utilizadas pela Amazon para garantir a colaboração entre toda a organização e não perder a agilidade para inovação é acolher ideias de novos projetos. Quando um colaborador tem a sugestão de uma inovação, é requerido que elabore um documento extenso de seis páginas na quais são expostas todas as peculiaridades daquela iniciativa. Esse documento é corroborado por outro conhecido como PR/FAQ, que contém um detalhamento dos benefícios gerados ao cliente e respostas no formato de FAQ, abreviação para o termo *frequently asked questions* (perguntas respondidas frequentemente, em português), que segue o modelo daquelas páginas em sites ou aplicativos que concentra todas as respostas sobre as dúvidas mais comuns dos clientes. A função desse documento é antecipar-se e apresentar todas as questões que podem ser suscitadas por parte do interlocutor que receber o conteúdo com a descrição daquela ideia. No documento também devem estar registradas as métricas e os indicadores que mensurarão os benefícios do projeto e servirão como base para o acompanhamento de sua implantação e execução.

Esse material, seguindo regiamente os critérios estabelecidos, é enviado para avaliação a um grupo de líderes seniores da organização, passando por uma revisão rigorosa. Se a ideia for aprovada, a atividade é financiada e incorporada ao Planejamento Anual Amazon, em um processo conhecido como OP1, no qual os méritos relativos de qualquer atividade e capacidade, presente e futura, são avaliados em termos de sua contribuição para o valor ao cliente Amazon. Na implementação do projeto, o documento de planejamento é atualizado toda vez que houver novas informações disponíveis e é o principal norteador do processo.

Toda a evolução do projeto é compartilhada com todo o time sênior da companhia e não somente com o líder direto responsável pelo departamento impactado pela ação. Esse acompanhamento acontece em tempo real, tendo como base as métricas definidas em sua concepção, que cobrem, principalmente, o valor adicionado para os clientes Amazon.

No Capítulo 5, mencionamos que a Amazon adota o conceito do *two-pizzas team* para execução desses projetos, organizando-se em times pequenos. Eles são estruturados de acordo com as competências requeridas para o desenvolvimento do projeto e recebem todos os recursos necessários para dar conta de sua execução. Em média, a expectativa é de que projetos dessa natureza sejam desenvolvidos por dois anos no mínimo, sendo aprimorados constantemente de acordo com as interações em sua execução. Essas equipes são independentes e autônomas para cumprirem seu papel. O documento é uma das principais ferramentas de comunicação da organização e elimina a necessidade de outros artefatos para alinhar as pessoas. Um aspecto determinante desse método é que quem não foi selecionado para fazer parte dessas equipes devido às suas competências particulares não participa desses projetos, sendo acessado apenas quando necessário.

Observe como temos nesse exemplo referências claras acerca de uma arquitetura para colaboração, que envolve a definição de uma meta unificadora; a definição dos valores e o método para o trabalho em equipe e a linguagem comum tangibilizada pelo documento que norteia todo o processo.

O líder colaborador deve reconfigurar a organização para atender às demandas por meio de um sistema mais colaborativo, adotando papel de gestor de experts, em vez de simples mediador de conflitos entre departamentos funcionais.

LÍDER COLABORADOR É LÍDER PRESENTE

Os líderes servem de modelo ao criar regras, dados e ferramentas para estabelecer um ritmo produtivo de comunicação, porém cada membro de cada equipe também afeta o ritmo colaborativo. A cultura da empresa torna-se um fator de reforço ou de enfraquecimento dessa dinâmica e deve ser contemplada nessa arquitetura e governança. E a conexão do líder com a cultura corporativa da organização é fator crítico para o sucesso ou não desse sistema, já que o líder é o principal artefato dessa cultura, e seus atos influenciam decisivamente os comportamentos de seus colaboradores.

Steve Jobs, mesmo entendendo-as como um fardo, valorizava de fato as reuniões de conselho para fortalecer sua visão quanto a todos esses termos. Uma provocação muito comum do fundador da Apple tinha como destino um de seus amigos e rivais prediletos, Larry Ellison, fundador da Oracle, organização emblemática procedente da mesma geração.

Ellison foi conselheiro da Apple entre 1997 e 2002. Ao entregar o cargo, comentou que não se sentia merecedor dele devido à falta de tempo para se dedicar à função. Esse fato se expressou na constante ausência do empreendedor nas reuniões de conselho, fazendo Jobs definir Ellison como o seu "melhor diretor", justamente por suas ausências. Não se contentando apenas com o título, Jobs reproduziu uma fotografia em tamanho real de Ellison, a qual era posicionada em uma cadeira vazia durante as reuniões e voltava-se para ela de vez em quando para perguntar: "Larry, o que você acha disso?".

O líder colaborador entende sua importância simbólica para fortalecer esse processo e não abdica de sua presença e de papéis ativos para sua evolução.

Tim Cook, sucessor de Jobs como CEO da Apple, perpetuou sua prática de promover reuniões duas vezes por semana com os principais líderes da empresa para manter todos na mesma página. Essas reuniões são fundamentais para fortalecer a cultura da organização e manter os valores-chave.

Assim, o líder colaborador, além de ser um evangelista da colaboração dando exemplos com seu comportamento, estrutura as bases para uma governança para a colaboração, o que vai gerar a sustentabilidade do processo a longo prazo.

Como observamos, há um elemento fundamental nesse sistema, que estende seu alcance para todo o universo de ação do líder: a comunicação. Sua relevância é tão grande que estabelecemos essa dimensão como uma das fundamentais para a liderança adaptada aos novos tempos e é o tema de nosso próximo capítulo: o líder comunicador.

LÍDER TRADICIONAL × LÍDER COLABORADOR

LÍDER TRADICIONAL	LÍDER COLABORADOR
Define uma estrutura organizacional vertical.	Desenvolve uma estrutura organizacional colaborativa horizontal.
Despreza seu papel simbólico e não age como um colaborador apenas delegando essa atividade a outros.	Entende seu papel simbólico e atua como colaborador, adotando um comportamento alinhado com essa visão.
Mediador de interesses de cada departamento funcional em prol de uma estratégia unificada.	Gestor de sistema que integra esforços individuais com colaboração ativa na execução de uma estratégia unificada.
Sempre assume o papel de responsável por todas as decisões importantes da organização.	De acordo com as especificidades de cada decisão, por vezes está na posição de líder, por vezes na de liderado.
Posiciona-se como extrator de valor da organização.	Posiciona-se como gerador de valor para a organização.
Centraliza todo o sistema de liderança em suas mãos.	Dá espaço para o protagonismo de outros líderes dentro da organização.
Incentiva a colaboração sem desenvolver métodos e processos para sua viabilização.	Arquiteta uma governança para colaboração.
Não se dá conta da importância de equilibrar autonomia com colaboração no sistema organizacional.	Constrói as bases para um sistema organizacional que equilibre autonomia com colaboração.
Não define nem comunica claramente a todos os ganhos e benefícios da colaboração em cada projeto.	Inicia os projetos definindo claramente quais são os ganhos e benefícios da colaboração e os comunica ostensivamente.
Negligencia as barreiras da colaboração existente em cada projeto.	Mapeia quais são as barreiras de colaboração no projeto e em todo o sistema organizacional.

ACESSE O QR

Quer saber mais sobre o líder colaborador? Acesse **https://gestaodoamanha.com.br/app/lideranca-disruptiva/lider-colaborador** ou aponte a câmera do seu celular para o QR Code ao lado e confira um conteúdo exclusivo!

O líder colaborador deve se dedicar a definir um objetivo unificador convincente que faça as pessoas se engajarem a uma causa maior que seus próprios objetivos pessoais.

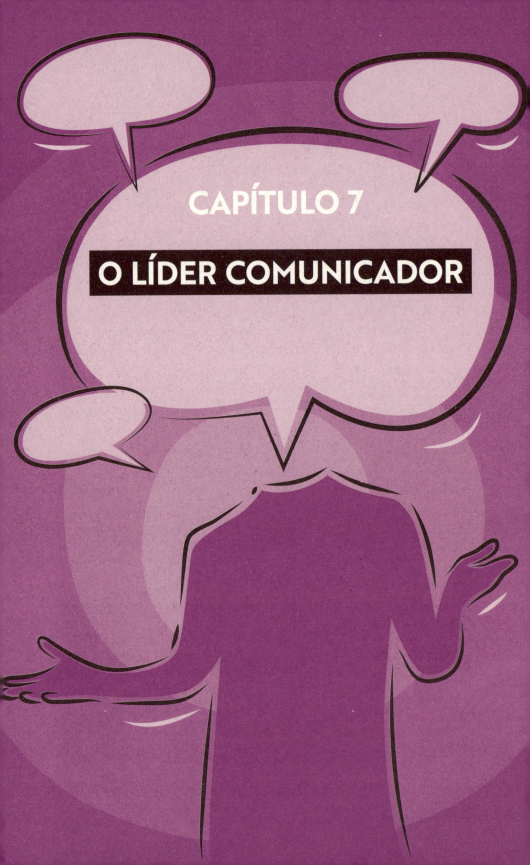

Quando questionado sobre qual é a mais importante tarefa do líder atualmente, Ram Charan foi categórico e respondeu sem hesitar: comunicar-se, comunicar-se, comunicar-se...

A lógica por trás dessa visão é a convicção de que a comunicação tem papel fundamental no direcionamento dos esforços da organização. A linguagem e a semântica utilizadas são um dos elementos simbólicos – artefatos – mais importantes da cultura de uma empresa e, por isso, têm alto poder de mobilização (você já observou como as organizações têm um vocabulário próprio que funciona como elemento de mobilização e unificação de todos?).

É, no entanto, mandatório termos uma perspectiva mais abrangente do significado da comunicação, sobretudo no contexto de nossa abordagem por aqui. Usualmente, consideramos essa prática em termos de ferramentas e estratégias a serem utilizadas, visando ampliar o alcance de uma mensagem. Para contextualizar de modo adequado o papel da comunicação no ambiente empresarial é necessário dar um passo para trás e refletir sobre o aspecto simbólico de todo esse processo, entendendo qual é o significado de cada dimensão do processo em relação ao impacto desejado da mensagem.

Seguramente, essa é uma das estratégias mais relevantes e definitivas para êxito ou fracasso de iniciativas de transformação organizacional e, por esse motivo, é a sexta dimensão da nossa constelação da liderança: o líder comunicador.

Uma ressalva importante sobre essa definição é que, da mesma maneira que o líder colaborador, o comunicador não é apenas um exímio comunicador. Além dessa competência, esse líder deve ser capaz de construir um ambiente que permita que a comunicação seja fluida, acessível a todos os colaboradores e cumpra seu papel estratégico dentro da organização.

A relevância dessa dimensão da liderança pode ser constatada ao notarmos como ela se relaciona com todas as anteriores de nossa constelação. Afinal, se o líder for incapaz de se comunicar adequadamente, obtendo engajamento, nenhuma das outras dimensões será bem-sucedida.

Como se não bastasse a importância dessa perspectiva em termos de uma competência clássica para o líder, a tendência da virtualização do trabalho, que teve como origem o isolamento social advindo da pandemia de Covid-19 e que se configura como uma realidade irreversível, reforça ainda mais o papel da comunicação como um dos elementos centrais no engajamento de pessoas em locais remotos.

Um dos maiores desafios desse novo arranjo do trabalho é obter engajamento e visão unificadores, visto que colaboradores da mesma organização e da mesma equipe não se encontram reunidos no mesmo local simultânea e fisicamente. Mesmo considerando o retorno ao trabalho presencial, a tendência é o fortalecimento do modelo híbrido do trabalho no qual a virtualização, em alguma dimensão variável caso a caso, veio para ficar.

Cabe ao líder, na sua responsabilidade de adaptação a esse novo ambiente, desenvolver uma arquitetura alinhada a todos os colaboradores com frequência, mitigando o risco de enfraquecimento dos elementos centrais da cultura do negócio provenientes desse afastamento.

Não poderíamos deixar de explorar a dimensão da comunicação com Philip Kotler. Em nossa conversa, a maior autoridade do marketing mundial de todos os tempos provoca sentenciando esse risco como um dos maiores desafios para o líder atual: como construir uma cultura forte quando as pessoas não estão juntas?

COMO CONSTRUIR UM SISTEMA DE COMUNICAÇÃO EFICIENTE?

Um bom sistema de comunicação tem como um de seus objetivos principais zelar para não haver esgarçamento do sistema de crenças e de filosofia da corporação, fortalecendo os elementos centrais do negócio. Por meio do compartilhamento constante e transparente das informações mais relevantes, todos passam a ter uma visão clara dos rumos da companhia, seus riscos, erros e acertos. Assim, o sistema cumpre atualmente outra missão fundamental: diminuir a insegurança presente entre os colaboradores da empresa, sobretudo aqueles mais distantes do alto escalão.

Esse benefício é central em um ambiente que, se já era caracterizado por alta dose de incerteza devido aos efeitos da evolução tecnológica, tem esse impacto potencializado pelo distanciamento físico das pessoas. A comunicação dá a liga para todo esse sistema funcionar, e o líder comunicador é o principal maestro desse processo.

A construção de um sistema eficiente de comunicação envolve algumas etapas centrais adaptadas à nova realidade dos negócios e de acordo com todas as dimensões da nossa constelação da liderança. Podemos resumir esse sistema em seis etapas:

1. **Adoção de uma linguagem comum na organização;**
2. **Transparência radical em todo o processo;**
3. **Diversidade e inclusão na comunicação;**
4. **Definição de rituais e processos formais;**
5. **Adoção de plataformas e tecnologias para facilitar o processo;**
6. **Auditoria constante do sistema.**

LINGUAGEM COMUM

A primeira etapa é central em todo o processo e constantemente negligenciada pelos líderes, afinal a comunicação, como prática eminentemente relacional e humana, tende a se modelar na empresa com o tempo de maneira autônoma e orgânica. No entanto, desenvolver de modo propositivo as bases de um repertório único que facilitará o entendimento de todos quanto à definição de cada mensagem, diminuindo a margem de interpretações distintas, é essencial para fortalecer todo o sistema e, não à toa, é o início de todo o processo. Podemos adotar o campo da meteorologia como metáfora para demonstrar esse imperativo.

Você já observou como todos têm uma opinião formada sobre o clima do dia, mas poucos têm conhecimento profundo sobre o tema?

Observamos esse padrão típico ao constatarmos que esse é um dos assuntos prediletos quando pessoas se encontram em espaços públicos, explorando com naturalidade sua perspectiva pessoal sobre o clima e suas previsões. Raros são os indivíduos, porém, que têm formação especializada para falar sobre o assunto.

Muitas vezes, o mesmo acontece nas empresas. Muitos, por exemplo, exploram a temática da transformação digital com a mesma naturalidade que falam sobre o clima, porém será que todos têm a mesma interpretação do tema? O risco dessa distensão é a carência de uma visão unificadora e o consequente desalinhamento, o que vai gerar falta de engajamento e insegurança, pois em algum momento as diferenças de interpretação quanto ao mesmo objeto serão evidenciadas.

A solução para atenuar esse risco passa pela adoção de uma linguagem comum na organização, a qual vai nortear todo o processo de comunicação. Essa homogeneização do repertório é o ponto de partida de um sistema eficiente, sobretudo em um contexto de mudanças em que novos elementos são introjetados diariamente no ambiente organizacional.

A linguagem comum contribui para a construção de uma cultura compartilhada e agiliza a comunicação entre todos da equipe, viabilizando a colaboração entre os departamentos e com agentes externos da organização. Ela é, portanto, fundamental para o compartilhamento de objetivos e metas comuns e partilhadas, funcionando como um guia norteador dos passos de todos em um mesmo ambiente.

Um dos pilares fundamentais utilizados por Satya Nadella (que já exploramos quando falamos da jornada de recuperação da Microsoft) foi a comunicação. E uma das estratégias centrais foi repetir, constantemente, tanto em fóruns internos quanto externos, os três mantras da organização nessa nova fase:

1. **Devemos ser obcecados por nossos clientes;**
2. **Somos melhores quando buscamos ativamente a diversidade e a inclusão;**
3. **Somos uma única companhia, uma Microsoft – e não uma confederação de feudos.**

Ao reiterar essa visão em todas as ocasiões, o líder visa fortalecer a visão unificadora da organização, alinhando todos quanto a mensagens-chave que deve ser vivenciada dentro daquele ambiente.

A mesma dimensão tem correlação estreita com o aspecto mercadológico do negócio e com sua estratégia corporativa. Lucy Pen é uma das fundadoras do Alibaba, onde ingressou desde o início pelas mãos de Jack Ma, seu principal líder. A empreendedora teve uma carreira ascendente dentro da organização até assumir o papel de CEO da Ant Financial, o braço financeiro do grupo.

Um dos principais desafios que encontrou ao exercer essa posição foi saber como incrementar a penetração da empresa no negócio de empréstimos pessoais, um dos pilares estratégicos mais importantes para a operação, pois resulta em incremento de sua capilaridade – o que permite o crescimento exponencial por meio da oferta de novos produtos para a mesma base de clientes.

Analisando os dados da organização, identificou-se que o cliente ativo que realiza, no mínimo, três transações ao ano tende a ser fidelizado e a aumentar sua relação com a empresa ao adquirir novos produtos e serviços financeiros. Com base nessa lógica, a líder instituiu de modo simples e certeiro um objetivo central a todos da organização: temos de atrair e engajar nossos clientes para que façam três transações ao ano conosco (além dessa, também foi definida a meta de aumentar em 85% a aprovação de crédito desses clientes).

Ao definir, por meio de uma mensagem clara e direta, o principal objetivo da companhia, o líder consegue obter maior engajamento da equipe à medida que evidencia a todos o caminho a ser seguido, guiando os esforços nessa direção.

Esse sistema não deve dar margem à interpretação, deve explicitar seu significado com clareza. A linguagem é elemento central dessa estrutura, e o líder comunicador deve ter o discernimento de que ela é um dos elementos centrais do processo de comunicação, uma vez que influencia profundamente atitudes e comportamentos.

Um estudo publicado na revista *Psychological Science*[22] comprova, com experimentos práticos, a tese de que mudanças de linguagem ajudam a mudar a perspectiva e o comportamento das pessoas em um mesmo ambiente.

Essa dinâmica tem relevância central para as estratégias de comunicação em tempos de mudança, como o atual. Se o líder almeja transformar as pessoas migrando da situação corrente para uma nova, a aplicação de um novo vocabulário é uma ferramenta-chave para viabilizar o processo.

Adotar uma linguagem simples, sinérgica com a composição da audiência e de fácil entendimento é essencial para que todos tenham entendimento claro da mensagem transmitida. A tecnologia é um território em que essa dinâmica deve receber maior atenção. David Niekerk, ao largo de sua vasta experiência interagindo com tecnólogos na Amazon, afirma que a utilização de um vocabulário técnico, repleto de siglas e termos em outros idiomas (no nosso caso, em inglês) afasta as pessoas da tecnologia em vez de acolhê-las. É função do líder comunicador traduzir a tecnologia a todos por meio do desenvolvimento de um universo semântico comum a seu ambiente.

Obviamente, essa tarefa não é exclusiva do campo tecnológico. O líder deve, por exemplo, simplificar ao máximo o entendimento da estratégia de negócios da empresa. Porém, em um ambiente no qual a tecnologia é onipresente, é necessário dar atenção especial a essa disciplina. Essa tarefa, parte integrante da primeira etapa de nosso sistema que compreende a criação de uma linguagem comum, envolve a estruturação de um vocabulário próprio a toda a organização.

Como uma "Wikipédia corporativa", as empresas devem desenvolver a própria semântica definindo o significado dos elementos-chave para que todos estejam na mesma página. Como citado no exemplo que demos sobre o clima, nos últimos anos termos como agilidade, inovação, disrupção, entre outros, são adotados com extrema familiaridade, porém será que todos os indivíduos em organização têm a mesma interpretação do que significa agilidade naquele contexto, por exemplo?

Se, ao mudar a linguagem, alteramos a percepção das pessoas a respeito do contexto e seu comportamento, não seria o caso de desenvolver um vocabulário próprio calcado nos simbolismos dos comportamentos desejados por todos na companhia? Esse é um dos componentes importantes de um sistema de linguagem comum que funciona como ferramenta para incrementar o alinhamento entre toda a equipe em um processo de transformação organizacional.

Ram Charan enfatiza a importância dessa estratégia ao comentar que um de seus clientes que passava por uma mudança radical em sua área de marketing, migrando para um modelo de crescimento por meio da tecnologia, recomendou que o título do diretor de marketing mudasse para líder de *growth* (líder de crescimento, em português). Observe o efeito simbólico da alteração da denominação do título de cargos em uma corporação. É evidente que essa mudança deve vir acompanhada de uma modificação definitiva no escopo de atuação alinhado com a nova denominação, pois, do contrário, o efeito será o inverso, expresso no descrédito das pessoas que percebem que se trata apenas de uma mudança cosmética e superficial.

Nesse processo de construção de uma semântica mais alinhada ao status corrente da companhia não é necessário abandonar o repertório clássico da empresa. Pelo contrário, é a partir dessa base que são introjetadas novas dimensões para esse vocabulário, que são mais adequadas à realidade da empresa e que oferecerão suporte aos líderes da companhia em sua jornada evolutiva.

LINGUAGEM TRANSPARENTE

Se a primeira etapa do sistema de comunicação com a adoção de uma linguagem comum é indispensável para o processo, a segunda envolve um elemento essencial nessa dinâmica: transparência.

De acordo com Kim Scott, autora do livro *Empatia assertiva*, essa transparência deve ser traduzida em uma franqueza radical. Isso significa "dizer o que você pensa, ao mesmo tempo que se importa com a pessoa para quem você está dizendo".

As organizações, em sua evolução para o crescimento futuro, devem se acostumar com conversas desafiadoras. Uma companhia não conseguirá se tornar uma empresa que cresce exponencialmente adotando ideias originais sem que as pessoas sejam capacitadas e tenham a liberdade para fazer perguntas difíceis sobre o negócio.

O líder comunicador deve criar um ambiente no qual perguntas difíceis e diferentes sejam bem-vindas e incentivadas por todos na organização. Se uma empresa não está tendo conversas difíceis, pode ser sinal de que as pessoas não estejam expressando livremente suas opiniões, visões e perspectivas individuais. Essa dinâmica resulta em baixo engajamento e desperdício do potencial derivado da ausência das expressões de cada componente da equipe.

LINGUAGEM INCLUSIVA

Parte integrante dessa mesma lógica é o elemento que faz parte da terceira etapa de um sistema de comunicação eficiente: a diversidade.

Diversidade e inclusão são fundamentais para o desenvolvimento de qualquer sociedade. Essa tese não é distinta no ambiente empresarial, principalmente em um mundo no qual a promoção de ideias e conceitos originais e criativos pode ser a sentença de sucesso ou fracasso para uma companhia. Assim, como conseguiremos ter um espaço do qual emerja essa originalidade se todos pensam da mesma maneira?

No artigo, Speaking of Success: the Language of Reinvention and Exponential Growth [Falando de sucesso: a linguagem da reinvenção e do crescimento exponencial, em tradução livre], publicado pela Singularity University,[23] Carin Watson sentencia que a linguagem da reinvenção é a linguagem da diversidade e da inclusão. Aqui, no entanto, temos uma problemática similar à que exploramos no capítulo anterior, que falava sobre colaboração. Por um lado, a criação de uma linguagem comum promove a comunicação e a colaboração eficazes entre pessoas com origens variadas. Por outro, se essa dinâmica não for bem gerenciada, ela pode desincentivar perspectivas contraditórias e diversas. Cabe, portanto, ao líder comunicador desenvolver uma estrutura que incentive, de fato, o espaço para exposição de visões diversas dentro daquele ambiente, inspirando, encorajando e mobilizando pessoas de todas as origens a se expressarem de acordo com sua opinião pessoal.

Diversidade e inclusão são fundamentais para o desenvolvimento de qualquer sociedade. Essa tese não é distinta no ambiente empresarial, principalmente em um mundo no qual a promoção de ideias e conceitos originais e criativos pode ser a sentença de sucesso ou fracasso para uma companhia.

Paralelamente, o líder deve preparar todos para receberem o contraditório de modo aberto e sem resistências, encarando com naturalidade a diversidade de pensamentos. Essa prática está interconectada e expressa uma proposição mais ampla para a corporação: a diversidade de seu quadro de colaboradores. Um dos principais benefícios de um ecossistema corporativo composto por pessoas de raças, credos e origens distintas é, justamente, a formação de um pensamento diverso. O sistema de comunicação da organização deve ser estruturado de modo a dar espaço para a expressão desse pensamento que será o responsável pela sustentabilidade de uma organização adaptada à sociedade atual.

RITUAIS E PROCESSOS FORMAIS

Se por um lado, como demonstramos, o sistema de comunicação se estrutura sobre bases filosóficas manifestadas em suas três etapas iniciais; por outro, ele deve ser lastreado por estruturas e processos formais que gerarão escalabilidade e amplitude de seu alcance. As duas próximas etapas desse sistema têm esta proposta: o desenvolvimento de rituais e a arquitetura do sistema.

Ao longo de séculos, a humanidade adotou rituais para fortalecer crenças, convicções e transmitir mensagens-chave aos integrantes de um grupo. Desde os aborígenes da Oceania até os vikings dos países nórdicos, passando por comunidades indígenas das Américas, europeus na era medieval e no Iluminismo até os dias atuais, rituais são uma das principais estratégias no processo de comunicação dessas culturas e na sua busca por unicidade.

No meio empresarial, essa lógica se evidencia como pilar fundamental na formação de um bom sistema de comunicação, e o líder comunicador deve estabelecer as estruturas para que esses rituais cumpram seu papel de maneira disciplinada e clara.

Em nossa conversa, Kotler citou como referência uma prática da Unilever, na qual toda a equipe de líderes é reunida semanalmente em todo o mundo para um encontro com agenda definida. São apresentadas as principais evoluções da companhia no período, e questão críticas são votadas por todos, para, depois, serem exploradas em profundidade pelos responsáveis de cada iniciativa.

No capítulo anterior, sobre o líder colaborador, apresentamos o processo de submissão de novas ideias na Amazon. Além do efeito prático, ao organizar a colaboração para inovação, o método reveste-se em um ritual importante para a organização, já que transmite uma mensagem sobre todos os elementos essenciais em um processo como esse naquela cultura em específico. Ou seja, o efeito simbólico é tão importante quanto o prático.

O líder comunicador deve envolver a sua equipe para a construção de rituais e processos formais, alinhados com a filosofia e as crenças da organização, que serão a base para seu sistema de comunicação. Enquadram-se nesse contexto os formatos a serem adotados, o papel simbólico dos líderes da organização, eventos específicos e todos os elementos envolvidos nesse universo.

A PLATAFORMA DE COMUNICAÇÃO

Para que esse sistema seja efetivo, é indispensável que seja projetada uma plataforma de comunicação (a quinta etapa de nosso desenho), que viabilizará a transmissão das informações com fluidez por toda a organização.

A importância dessa etapa merece ser destacada devido à virtualização do trabalho, uma vez que é necessária uma estrutura que atinja com êxito pessoas localizadas em espaços físicos distantes, ou seja, que não estão presentes fisicamente no mesmo ambiente.

No passado, por exemplo, os memorandos, quadro de avisos e jornais internos eram ferramentas clássicas de comunicação. É necessário que o sistema evolua para a adoção de novos formatos amparados pela tecnologia para impulsionar a mensagem de maneira crescente e efetiva.

Quando utilizadas adequadamente, plataformas digitais imersivas tornam as iniciativas de liderança instantaneamente visíveis e transparentes a todos, promovendo agilidade em todo o processo.

Do mesmo modo como exploramos a questão dos dados para o líder exponencial, na estrutura de comunicação é imperativo o desenvolvimento de uma arquitetura que permita a organização e difusão das informações de maneira efetiva e ágil. Uma ressalva, no entanto, cabe nessa reflexão. A tecnologia a ser adotada deve estar alinhada com o perfil dos participantes da comunidade. É recomendável estar atento à adoção de tecnologias muito disruptivas, pouco compreensíveis a todos.

Entender a maturidade de adoção tecnológica de acordo com seus integrantes é um dos fundamentos para que seja desenvolvida uma ideia evolutiva. Essa ideia deverá ter a visão da aplicação do estado da arte em termos tecnológicos, porém a partir de uma estrutura com as melhores condições de serem adotadas pela equipe.

AUDITORIA DO SISTEMA

Com todos os sistemas de comunicação alicerçados tanto em suas bases filosóficas quanto estruturais, é necessário integrar a última etapa em todo processo: a auditoria e o acompanhamento do sistema.

Como a comunicação envolve, em sua essência, relacionamentos humanos, ela se configura em uma instância altamente volátil e suscetível a mudanças de acordo com as ocorridas diariamente. Com isso, é natural ocorrerem alterações no plano original, à medida que as pessoas vão adaptando o sistema à sua perspectiva pessoal. Essa dinâmica natural torna necessária a definição de indicadores de acompanhamento para aferir continuamente a evolução do sistema, o nível de adoção pela equipe e os resultados atingidos.

Além dos indicadores, é preciso instituir uma governança de acompanhamento do sistema para que rotas sejam corrigidas ou fortalecidas de acordo com as informações coletadas.

Como complemento a esse processo, a auditoria de todo o sistema é componente indispensável para um monitoramento constante, checando se os processos estão sendo adotados de modo correto. Sem esse acompanhamento, o processo de aferição fica comprometido, pois a base de análise estará contaminada.

Nossos estudos e observações sobre o mundo empresarial demonstraram que muitas companhias negligenciam essa última etapa do sistema e só se dão conta de sua relevância quando observam que a execução do projeto de comunicação não está saindo conforme o planejado. Essa constatação tardia resulta em desperdício de recursos e tempo, o que pode ser fatal em um ambiente tão veloz quanto o atual.

Com a etapa da auditoria concluída, o sistema de comunicação está constituído, obedecendo às seis etapas estruturais relacionadas no início deste capítulo.

O CONTADOR DE HISTÓRIAS

Para finalizar essa estrutura, porém, há um componente essencial na comunicação que perpassa todo o sistema e é fortalecido por ele: o *storytelling*.

O líder comunicador é o principal responsável pelo fortalecimento da narrativa do negócio, atuando como um contador da sua história (um *storyteller*) à medida que utiliza todo o sistema de comunicação para enfatizar esse relato. A narrativa é a matéria-prima básica de todo o sistema de comunicação, uma vez que todos os seus elementos podem estar constituídos com excelência, porém não haverá engajamento se não houver uma explanação conectada com as pessoas tanto em relação à forma quanto ao conteúdo.

As histórias nos conectam como seres humanos. Elas provocam uma resposta física no corpo e ficam gravadas na mente. Quando o líder busca motivar sua equipe ou convencer a liderança a apoiar sua iniciativa, uma narrativa bem elaborada, que tenha em mente as necessidades de seu público, é uma das ferramentas de influência mais poderosas do seu arsenal.

O líder comunicador é, sobretudo, um exímio comunicador, conectando seu discurso com a narrativa corporativa, que deve ser estruturada formalmente. E um componente muito valorizado na construção dessa história empresarial é a evolução da própria organização desde sua fundação, passando pelos principais marcos de sua trajetória, especialmente os desafios e obstáculos superados.

Assim como todo o sistema de comunicação, essa narrativa deve ser homogênea, simples e facilmente entendível por todos, que não só são receptores da mensagem, mas também emissores e agentes de multiplicação dessa visão.

Jack Ma, fundador do Alibaba, o maior marketplace do mundo fundado na China, entendeu essa lógica desde o início de seu projeto e se dedica, constantemente, à divulgação e ao fortalecimento de sua desafiante trajetória à frente da companhia, evidenciando, sobretudo, os momentos desafiadores pelos quais a empresa não sucumbiu por pouco. Com mais de 250 mil colaboradores (dados de 2021),[24] essa narrativa é fundamental para que todos tenham uma visão clara dos valores centrais da organização, que cada indivíduo deve adotar, não importando onde esteja localizado nem a sua área de atuação.

Da mesma maneira, Ma evidencia a todo momento a principal missão da companhia, sua razão de existir: *to make it easy to do business anywhere* [fazer ser fácil fazer negócios em qualquer lugar, em tradução livre].

Essa visão funciona como ideia unificadora e dá a liga para todos os componentes da companhia que têm essa missão como essência de sua atuação.

COMUNICANDO PROPÓSITO, MISSÃO E VISÃO

Tal referência nos traz a relevância de um elemento central no sistema de comunicação de uma companhia: a oportunidade de comunicar claramente seu propósito, sua missão e sua visão.

É função central do líder comunicador expressar de maneira clara e utilizando toda a estrutura de seu sistema de comunicação o propósito, a missão e a visão da companhia. Essa tarefa é essencial, afinal, além de fortalecer o sistema interno com essa ideia unificadora, também funciona como elemento de seleção para novos colaboradores e indivíduos que almejem se relacionar com a empresa.

Quando esse enunciado não está bem constituído, os indivíduos não têm clareza à qual contexto pertencem, seus valores e filosofia. Assim, comportamentos indesejados podem emergir e indivíduos desalinhados com essa visão podem ocupar espaço dentro da companhia com os próprios pontos de vista.

Essa dinâmica esgarça o sistema da cultura da organização, enfraquecendo a companhia a médio e longo prazos com elementos que não estão em consonância com a visão de futuro e com a filosofia da empresa.

Ao líder comunicador cabe zelar para que isso não aconteça, estruturando e preservando uma narrativa corporativa coadunada com a filosofia da organização. Ele também deve alicerçar as bases para um sistema de comunicação que transmita essa visão de maneira organizada para toda a empresa.

Se o líder comunicador adota um papel que perpassa todas as dimensões de nossa constelação de liderança, em nosso próximo capítulo vamos explorar outra dimensão que se enquadra na mesma tese: o líder que constrói um ambiente de aprendizado – afinal, aprender a aprender é uma das competências mais críticas da atualidade.

LÍDER TRADICIONAL × LÍDER COMUNICADOR

LÍDER TRADICIONAL	LÍDER COMUNICADOR
Delega a tarefa de comunicação a áreas funcionais responsáveis por essa disciplina.	Entende que a comunicação é a tarefa mais importante no papel de líder.
Desenvolve o sistema clássico de comunicação mesmo no ambiente virtual.	Adapta seu sistema de comunicação ao contexto da virtualização do trabalho.
Entende que a comunicação é um sistema orgânico que vai se formando ao longo do tempo de maneira natural dentro da empresa.	Estrutura um sistema formal de comunicação, definindo as bases de uma linguagem comum para toda a organização.
Não dá a atenção devida à construção de uma semântica própria para a organização.	Define um vocabulário comum à organização, construindo uma semântica própria.
Controla as principais informações compartilhadas com todos da organização, omitindo questões relevantes do negócio.	Dedica-se à construção de um ambiente caracterizado pela transparência, em que todos tenham acesso a informações críticas do negócio.
Desconsidera a diversidade no sistema de comunicação.	Insere a diversidade e a inclusão no sistema de comunicação.
Não entende que rituais e processos formais são indispensáveis para um eficiente sistema de comunicação.	Desenvolve rituais e processos formais para garantir a escalabilidade e fluidez da comunicação na organização.
Desconsidera a relevância de plataformas e tecnologias para um sistema de comunicação eficiente.	Estrutura uma plataforma que facilita a divulgação de suas informações por toda a organização.
Não acompanha o resultado do sistema de comunicação por meio de indicadores e sistemas de acompanhamento.	Estabelece uma governança para o sistema de comunicação da organização estruturando métricas e auditoria de acompanhamento.
Despreza a relevância da narrativa corporativa, não construindo sua estrutura formal.	Cuida da estruturação e do fortalecimento da narrativa da empresa, zelando para que a história adequada seja compartilhada por todos.

ACESSE O QR

Quer saber mais sobre o líder comunicador? Acesse **https://gestaodoamanha.com.br/app/lideranca-disruptiva/lider-comunicador** ou aponte a câmera do seu celular para o QR Code ao lado e confira um conteúdo exclusivo!

Um dos principais benefícios de um ecossistema corporativo composto por pessoas de raças, credos e origens distintas é, justamente, a formação de um pensamento diverso.

CAPÍTULO 8

O LÍDER CONSTRUTOR DE AMBIENTES DE APRENDIZADO

A história de Janete Vaz como empreendedora tem início em 1984. Nesse ano, com sua amiga inseparável, Sandra Costa, ela decide dar um passo inusitado para uma bioquímica de formação: empreender no próprio negócio.

Surge, então, o Laboratório Sabin, empresa especializada em medicina diagnóstica, que inicia sua atuação em Brasília. Depois de cerca de quarenta anos, o Sabin expandiu seus tentáculos para todo o Brasil com uma rede de cerca de trezentas unidades. O laboratório se posicionou como um dos maiores grupos de Saúde do país, com faturamento superior a 1,2 bilhão de reais e quase 6 mil colaboradores (dados de 2021).

Janete Vaz há um bom tempo não está à frente da gestão do negócio, que foi toda profissionalizada. A empreendedora ocupa a posição de presidente do conselho de administração do grupo e investe boa parte de seu tempo assumindo papel de uma forte liderança empresarial, não apenas no setor de saúde, mas também em todo contexto corporativo brasileiro.

Em nossa conversa, a doutora Janete (como é mais conhecida), com sua assertividade e tom sempre muito direto, trouxe uma perspectiva central sobre o papel do líder na atualidade, quando explorou os desafios acarretados pela pandemia de Covid-19. De acordo com as palavras da empreendedora, "a Covid-19 'passou a perna' naqueles gestores que achavam que do jeito que faziam iam continuar. Mostrou que o mundo é digital e que o cliente é digital. O líder tem de ter humildade para buscar ajuda e fazer a transformação de que sua empresa necessita".

Essa perspectiva pessoal se reflete em um dos maiores desafios de todo líder na atualidade: ter a humildade de saber que precisa aprender continuamente para atualizar seu repertório diante de um contexto distinto do habitual.

Já dissemos que a pandemia veio acelerar esse processo de distensão em relação ao modelo convencional, o que trouxe necessidade de uma transformação, sobretudo digital. Tal transformação tem se mostrado mais rápida do que o planejado pelos líderes que estão à frente de suas organizações.

Tradicionalmente, boa parte deles relegou a segundo plano a educação (seja pessoal, seja de suas equipes), escorando-se em um ambiente muito mais previsível e controlado. O saber não se movia com tanta velocidade, uma vez que o repertório estabelecido dava conta das demandas do negócio.

Janete comenta que o ambiente, no entanto, "passou a perna" naqueles que entendiam que não precisavam mudar, evidenciando a importância da capacidade de aprender como uma das competências centrais dessa nova e das próximas eras.

A despeito da conjuntura específica da Covid-19, essa dimensão extrapola esse fenômeno e sempre esteve presente em líderes que se destacaram na história corporativa. Claudio Fernandéz-Aráoz é um dos raros latino-americanos que ocupa lugar de destaque na área mundial de gestão. Atualmente, é professor convidado na Harvard Business School e ocupa posição de conselheiro sênior na Egon Zehnder, uma das maiores consultorias de seleção de altos executivos, onde atuou por mais de trinta anos.

Em nossa conversa, Aráoz mencionou uma experiência pessoal que teve com Jack Welch, CEO lendário da GE e que, devido à sua exitosa trajetória, recebeu a alcunha de CEO dos CEOs, sendo reconhecido como um dos líderes empresariais mais relevantes do século XX. Aráoz compartilhou conosco que, durante uma participação de Welch em um evento promovido pela HSM na Argentina, a ExpoManagement, foi convidado para promover um jantar com o palestrante, que lhe fez um único pedido em relação aos participantes: "Não convide 'peixões' (*big fishes*, em inglês). Convide apenas seus amigos usuais de negócios".

E assim foi feito.

No fim do jantar, Aráoz foi conversar com os participantes do encontro e percebeu certa frustração entre eles. Por meio das discussões, constatou que esse sentimento emergiu devido à dinâmica do jantar. Todos queriam fazer perguntas a Jack Welch, interessados na visão daquele executivo mítico. No entanto, o maior perguntador da mesa foi o próprio Welch, que a todo momento se dirigia aos expectadores, interessado, legitimamente, em seus pontos de vista.

Essa experiência forjou em Aráoz uma convicção: Welch se transformou no líder empresarial do século por ter mantido sua curiosidade e inquietude constante a despeito de seu sucesso. Ou seja, ele se posicionava como eterno aprendiz, mesmo após ter galgado todos os passos em uma jornada singular no contexto corporativo.

Se essa dimensão era valorizada no passado, atualmente, em um ambiente muito mais complexo e imprevisível, ela ganha contornos fundamentais para o papel de qualquer líder e em qualquer circunstância. O líder construtor de ambientes de aprendizado deve se preparar e preparar sua organização para viver e prosperar no incerto a partir do entendimento de que ninguém mais está pronto para lidar com esse novo contexto.

ESTEJA ABERTO A MUDANÇAS!

A demanda pela construção de modelos e ideias originais é derivada de alta capacidade de aprendizado. E, se a companhia não for capaz de desenvolver um ambiente onde esse atributo esteja introjetado em seu sistema organizacional, ela será presa fácil para concorrentes que conseguirem catalisar mais clara e rapidamente as demandas do ambiente, transformando-as em iniciativas concretas.

Satya Nadella, durante a recuperação da Microsoft, traduziu essa dimensão, partindo do indivíduo para a organização, quando sentenciou que deveria migrar de uma empresa que "sabe-tudo" para uma empresa que "aprende-tudo".

É desse contexto que emerge o líder construtor de ambientes de aprendizado. É da convicção de que a diversidade de conteúdos disponíveis é tão grande que não é mais possível entender que o conhecimento requerido para a evolução da organização está concentrado em poucas pessoas.

O líder, ao assumir esse papel, não apenas é o arquiteto de um design organizacional que acolhe e promove o aprendizado ao topo da agenda corporativa, mas ele próprio assume a posição de principal aprendiz do negócio, buscando aprender ativa e continuamente. Esse comportamento é mandatório para tirar a organização da zona de conforto derivada da tendência pela tradicional busca pela estabilidade que ocorre quando o modelo adotado é exitoso.

Não podemos esquecer que boa parte dos líderes empresariais foram bem-sucedidos graças a seu foco em execução e controle, e não em questionar o sistema continuamente e propiciar novas soluções.

No capítulo sobre o líder colaborador, já dissemos que não é mais plausível um contexto em que o líder centralize todas as decisões da organização. Ele deve se dedicar, portanto, a criar um ambiente profícuo na geração de premissas e possibilidades.

Esse movimento compreende desafios importantes que vão além das questões práticas de negócios e envolvem uma dimensão emocional. John Davis comenta que em suas pesquisas observa claramente que muitas empresas e muitos líderes tradicionais se apegam, por muito tempo, a práticas que não dão certo, muitas vezes por lealdade, apego à tradição e outras questões emocionais. A insistência é derivada da visão de que "se sempre funcionou, basta eu encontrar um novo caminho nessa mesma direção, assim reencontraremos o sucesso".

Esse comportamento resulta no fortalecimento pela geração de inovações incrementais e pouca disponibilidade ao risco na busca por modelos disruptivos. Assim, é mandatório introjetar um novo repertório, por meio do aprendizado contínuo. Só assim esse ciclo será rompido e a organização experimentará possibilidades mais ambiciosas que vão se traduzir em uma ruptura no seu *statu quo*.

Charan comenta que um dos problemas centrais da resistência a esse processo de transformação é cognitivo. Segundo o professor, líderes tradicionais, pelo fato de terem sedimentado um modelo de pensamento convencional ao longo de décadas, têm dificuldades cognitivas para se adaptar a essa nova realidade, sendo incapazes de fazer as conexões necessárias para entender o mundo. Essas dificuldades têm como um de seus responsáveis o clássico processo educacional sobre gestão, o qual sempre esteve concentrado em ferramentas analíticas e racionais que ensinavam mais o que fazer do que como fazer.

Reconhecendo esse desafio, o processo de arquitetura de um desenho organizacional que estimule e viabilize o aprendizado passa pela adoção de estruturas e ferramentas cognitivas que contribuirão para que os colaboradores tenham condições de formular premissas complexas. Desse modo, será estimulado o raciocínio lógico dedicado à exploração

Não podemos esquecer que boa parte dos líderes empresariais foram bem-sucedidos graças a seu foco em execução e controle, e não em questionar o sistema continuamente e propiciar novas soluções.

de todas as possibilidades de tal contexto. Essa construção cognitiva envolve, no fim das contas, uma mudança importante de mentalidade dos indivíduos e da organização.

FORTALEÇA UMA CULTURA DO APRENDIZADO

Evidenciamos a correlação entre aprendizado e cultura organizacional na nossa obra *O novo código da cultura* quando apresentamos o *framework* dos elementos de uma cultura mais alinhada com esses novos tempos.

Selecionamos a chamada cultura de aprendizado como crítica para o processo de inovação, na medida em que ela fomenta os pilares de uma filosofia aberta ao conhecimento, que, por sua vez, é fundamental para gerar ideias e projetos inovadores.

Ao líder, em seu papel de construtor de ambientes de aprendizagem, cabe a responsabilidade de estruturar uma arquitetura que possibilite o conhecimento fluir com naturalidade por toda a organização e que promova a educação como eixo central do negócio. E essa transformação começa por ele mesmo. Bons líderes nutrem desejo pelo aprendizado. Pessoas se tornam líderes mudando a si próprias. O autoconhecimento é indispensável nesse processo educacional, uma vez que contribui para que o indivíduo entenda suas fortalezas e fraquezas, diminuindo, assim, a insegurança perante as pseudoameaças, por exemplo, o protagonismo de outras pessoas de seu convívio.

O líder construtor de ambientes de aprendizado investe em seu autodesenvolvimento da mesma maneira que cria condições e espaço para toda a equipe evoluir. Ele também entende que uma de suas responsabilidades centrais para estruturar um sistema organizacional adaptado à nova economia é a construção de uma arquitetura de aprendizado.

Na obra *O fim da vantagem competitiva*, Rita Gunther McGrath aborda uma visão do indiano Kris Gopalakrishnan, um dos fundadores da Infosys, para demonstrar a capacidade organizacional de construção de uma empresa que aprende com o conceito de *learnability*, ou habilidade de aprender. Essa definição tem origem no campo do desenvolvimento de softwares e traduz a qualidade de produtos e de interfaces que permitem que os usuários se familiarizem rapidamente com eles e sejam capazes de fazer bom uso de todos os seus recursos e capacidades.

Trazendo essa definição para o campo organizacional, podemos interpretá-la como a capacidade de estruturar um sistema que contribua para que as pessoas aprendam continuamente e transformem esse aprendizado em ação. Essa visão é expressa na filosofia de liderança da Infosys, a qual define que "a empresa é o campus, o negócio é o currículo e a liderança ensina". Nesse sentido, cada executivo sênior considera o ensino da próxima geração de líderes como sua responsabilidade pessoal.

Um ponto de atenção nessa construção merece ser enfatizado: não é emulando na empresa o modelo clássico de educação formal que será possível gerar um ambiente de aprendizado adaptado à nova dinâmica organizacional. Quando é citada a visão da "empresa como campus", essa perspectiva não deve se restringir aos limites físicos da organização, mas considerar toda a abrangência de seu significado além dessa dimensão.

Pedro Bueno comenta que um dos espaços mais relevantes de aprendizado para o Dasa são as iniciativas de inovação aberta; por exemplo, a participação da empresa no Cubo, coworking que reúne dezenas de startups em um mesmo ambiente, atuando com o foco na inovação contínua. Um dos programas desse projeto é o Cubo Health, destinado a startups que desenvolvem soluções para a área de Saúde. Esse espaço é patrocinado pelo Dasa, que coordena a seleção e o desenvolvimento dessas empresas, estando muito próximo desses empreendedores. O Dasa se beneficia não apenas das soluções de negócios e inovações desenvolvidas nesse ambiente, mas também do conhecimento gerado pelas empresas ali presentes.

Essa aproximação com startups e empreendedores com pontos de vista diversos é um dos promissores caminhos na construção de uma arquitetura de aprendizado.

Na apresentação realizada em 2017 na Harvard Business School, na qual John Chambers expõe diretamente o receio da caducidade do conhecimento para a audiência, o empreendedor compartilhou uma de suas principais estratégias para se prevenir desse risco: "Passei mais tempo com startups do que com qualquer outro segmento de clientes porque é delas que surgem ideias criativas. Elas pensam de modo exponencial, não linear". Esse processo de conexão com novas perspectivas e visões é central para a mudança de repertório de indivíduos e organizações. Resgatando o particular ponto de vista de Charan quanto aos desafios cognitivos desse processo, é importante ter em mente que não se trata de um obstáculo intransponível.

Por vezes, há a interpretação de que pessoas, sobretudo as mais experientes, não mudam. Essa sentença não está coadunada com a realidade. As pessoas podem aprender e mudar. O próprio Charan comenta que tem testemunhado executivos experientes, nos níveis mais altos de organizações tradicionais, aprendendo avidamente o que plataformas, algoritmos e dados podem fazer por sua empresa. O escopo de seu pensamento e de sua imaginação foi ampliado.

Alguns desses líderes agora acreditam ser possível alcançar um crescimento de 10×, enquanto antes não o faziam; são capazes de imaginar a satisfação de uma necessidade do cliente que se estende ainda mais no tempo e começaram a experimentar novas proposições. Sabem que a competição é inevitável e estão aprendendo a experimentar mais rápido e a aceitar alguns fracassos. É uma construção para criar um ambiente aberto ao conhecimento.

O APRENDIZADO INFINITO

Simon Sinek, no livro *O jogo infinito*, apresenta um conceito que tem sinergia com as definições do *Mindset* de Carol Dweck, e nos permite introjetar uma definição essencial no papel do líder como construtor de ambientes de aprendizado. Sinek resgata uma visão de James Carse, que, em 1986, escreveu o tratado *Jogos finitos e infinitos – a vida como jogo e possibilidade*. Similarmente ao mindset fixo, indivíduos com mentalidade finita querem que o jogo acabe logo e desejam vencer a todo custo. Eles jogam para si próprios e querem derrotar outros participantes. Os que têm mentalidade infinita, por sua vez, da mesma maneira que o conceito do mindset de crescimento, querem continuar jogando, o que nos negócios significa criar uma organização de crescimento sustentável. Um líder de mentalidade infinita não quer simplesmente que sua empresa seja capaz de enfrentar uma mudança e, sim, de se transformar com ela. Quer uma empresa que acolha surpresas e que consiga se adaptar.

Com base nessas definições, introduzimos um novo conceito que traduz essa dimensão sobre o valor da aquisição do conhecimento: o aprendizado infinito.

Já que estamos em um jogo infinito, é necessário investir em uma estrutura de aprendizado que promova o aprimoramento contínuo das pessoas ao topo da agenda organizacional. Com isso, as práticas de aprendizado evoluirão constantemente em um ciclo que nunca vai acabar, visando à sustentabilidade do negócio em um ambiente instável e muito volátil. De acordo com Sinek, em sua obra, uma perspectiva infinita libera as pessoas de se fixarem apenas no que as outras empresas estão fazendo, o que permite ampliar sua visão para uma compreensão mais ampla de todo o ambiente. Em vez de reagir ao modo como uma nova tecnologia vai desafiar o atual modelo de negócios, por exemplo, as pessoas que adotam o aprendizado infinito têm mais capacidade de prever as aplicações dessa nova tecnologia.

Essa dimensão de aprendizado contínuo é tão relevante que leva ao questionamento de um preceito muito popular no mundo empresarial. Ele define a necessidade de chegar rapidamente, em primeiro lugar, a novos mercados com produtos e soluções. Conforme já exploramos por aqui, atualmente agilidade é fundamental em um mundo movido a uma velocidade espantosa. Essa movimentação, no entanto, deve aliar rapidez com assertividade. Não é a primeira empresa a lançar determinada solução que leva todo o mercado. É a empresa que consegue aprender continuamente, incrementando sua solução de maneira crescente, que vai ter mais condições de dominar seu setor de atuação.

Gerard Tellis, em *Will and Vision*, apresenta um estudo que comprova essa tese. Sua pesquisa aponta que 64% dos pioneiros de algum mercado falham, mesmo naqueles emergentes e de alta tecnologia. Em média, essas empresas, ao se consolidarem, dominam 6% de participação em seus mercados. A longo prazo, as empresas mantêm a liderança de seu setor não por serem as primeiras, mas por continuarem sendo as melhores, e um dos elementos centrais nessa escala evolutiva é o aprendizado contínuo que oxigena a organização e alimenta o desenvolvimento de novas proposições para o negócio.

Resgatando a jornada de um dos maiores êxitos empresariais da história, podemos observar como essa dinâmica se expressa na prática. Quando a Apple lança o iPhone em 2007, o equipamento foi o quinto smartphone a ser lançado no mercado. Com um agravante: o BlackBerry, da RIM, ostentava impressionantes 92% de participação no mercado americano. Após quatro anos, essa mesma participação migrou para a empresa liderada por Steve Jobs, e os demais competidores se tornaram irrelevantes com o tempo (com exceção da Samsung, posteriormente, e da Motorola, que, a despeito de não ter a posição de outrora, continua sendo um *player* relevante no setor).

Qual o motivo de, mesmo saindo mais tarde no mercado, o iPhone ter conquistado essa supremacia? A capacidade que a organização teve de aprender continuamente sobre as demandas do cliente. Desde o lançamento, ao entender a necessidade de uma tela maior para as pessoas acessarem a internet por meio do smartphone com a introdução da tela *touch*, a companhia não parou de introjetar novas funcionalidades que alçaram a organização a outro patamar. A empresa não foi a primeira a ingressar nesse mercado, mas foi capaz de aprender mais rapidamente em relação aos seus concorrentes.

A VISÃO MULTIDISCIPLINAR

Para que esse aprendizado resulte nessa performance, além do ritmo de aprendizado, é imprescindível que se construa um repertório que habilite o líder a gerir de maneira bem-sucedida os desafios dessa jornada. Não basta aprender continuamente; é necessário absorver o conhecimento mais adequado para cada contexto.

O saber convencional definiu que para um indivíduo ser completo, ele deve focar um campo do conhecimento e se aprofundar nesse universo. O mundo moderno, todavia, exige uma visão multidisciplinar, com a capacidade de um repertório mais abrangente e habilidade para aplicar esse saber em novas situações e em diferentes domínios.

Orit Gadiesh, presidente do conselho da consultoria Bain & Company, cunhou o termo especialista/generalista para definir o indivíduo que estuda uma enorme gama de campos distintos e que entende em profundidade os princípios que conectam esses campos e então os aplica a suas especialidades. O empreendedor Elon Musk é a personificação desse perfil. Seu nível de conhecimento vai da ciência aeroespacial, engenharia, física a inteligência artificial e energia solar. Como consequência, as organizações fundadas por ele ou que fazem parte do império de Musk exprimem esse conhecimento com empresas de domínios distintos, como a SolarCity (energia solar), SpaceX (negócios aeroespaciais), Tesla (automobilístico), entre outras.

O mesmo comportamento já era adotado por Peter Drucker, um dos maiores pensadores da gestão moderna. Ele sempre ostentou uma visão privilegiada da sociedade e sua correlação com o ambiente empresarial. Essa sagacidade foi fruto de forte valorização do aprendizado e desenvolvimento pessoal que unia profundidade com abrangência.

Uma das estratégias adotadas pelo "guru dos gurus" era selecionar um tema específico sobre o qual aprender em profundidade. Dedicava-se durante três anos para pesquisar todas as dimensões desse assunto, para então dominá-lo. Essa especialização, no entanto, vinha acompanhada da nutrição de uma perspectiva abrangente, o que lhe conferia uma visão privilegiada e global expressa em pensamentos e teses memoráveis sobre gestão.

Esse modelo de aprendizado é conhecido como *learning transfer* (transferência do conhecimento, em português), que consiste na habilidade de aprender determinado contexto e aplicá-lo em outro domínio.

Retomando a referência de Musk, o que ele aprende na SolarCity ao dominar o modal de energia solar é utilizado no desenvolvimento das baterias elétricas dos veículos da Tesla; o conhecimento de aplicação de novas tecnologias desta última influencia os desenvolvimentos da SpaceX, e assim por diante.

Esse método está lastreado por dois princípios básicos:

1. **A desconstrução do conhecimento em princípios fundamentais;**
2. **A reconstrução desses princípios em novos campos do conhecimento.**

Ao líder construtor de ambientes de aprendizado não cabe ser apenas um especialista-generalista, mas também o responsável por estruturar as bases de uma arquitetura que viabiliza a transferência do conhecimento como um ativo organizacional.

Essa arquitetura compreende um mapa mental de conhecimento e correlaciona-se com a resolução de problemas concretos do negócio. A visão especialista-generalista também compreende o equilíbrio da profundidade do conhecimento técnico com visão ampla do negócio.

APRENDENDO A DESAPRENDER

No já citado artigo publicado por Boris Groysberg e Tricia Gregg, os autores trazem um dos achados principais do negócio, que traduz essa visão: os CEOs mais eficientes do século XXI são aqueles que participam de uma ampla gama de atividades e ampliam continuamente sua base de conhecimento. Esse aprendizado ao novo, no entanto, pressupõe uma das práticas mais desafiantes para todos os indivíduos: aprender a desaprender.

Alvin Toffler, importante futurólogo do mundo da gestão, enunciou uma frase célebre no fim dos anos 1990, que daria o tom ao que estava por vir: o analfabeto do século XXI não é aquele que não sabe ler nem escrever, mas aquele que não sabe aprender a desaprender para reaprender. Adquirir novos conhecimentos pressupõe se desapegar (e desaprender) daqueles que não são mais úteis ou se tornaram obsoletos e são obstáculos para o progresso.

Há um paradigma comum que impacta de maneira generalizada o modelo mental de indivíduos que tendem a ficar presos em padrões de pensamentos e comportamentos em detrimento de se adaptarem a uma nova realidade. Podemos definir essa conduta como o paradoxo do crescimento. Presas a modelos que tiveram êxito no passado, essas pessoas não conseguem se desprender de conteúdos que foram valiosos para situações anteriores, porém que não são adequados para obter sucesso no presente e no futuro.

No livro *Desaprender*, o autor Barry O'Reilly dedica-se à exploração de caminhos do desaprendizado organizado, definido como o processo de deixar de lado, afastar-se e reformular mentalidades outrora úteis e comportamentos adquiridos que foram eficazes no passado, mas que agora limitam nosso sucesso. Importante deixar claro que não se trata simplesmente de esquecer ou descartar conhecimentos ou experiências anteriores. A prática está mais alinhada com a atitude de ressignificar esses conteúdos de maneira consciente, deixando de lado informações desatualizadas e coletando novas que incrementarão e adaptarão seu repertório.

Na obra de O'Reilly é citada uma referência sobre a interpretação do filósofo francês Barão de Montesquieu acerca dos motivos do sucesso do Império Romano. Esse domínio, que durou cinco séculos, é considerado o maior da civilização da história ocidental. De acordo com o pensador e seus estudos, o motivo do sucesso histórico do Império Romano se deu, em grande parte, por terem desenvolvido uma habilidade única de se adaptar a novas circunstâncias dos ambientes conquistados, desaprendendo o que trouxeram do passado.

De acordo com as palavras de Montesquieu, "deve-se notar que a principal razão para os romanos se tornarem senhores do mundo foi que, tendo lutado com sucesso contra todos os povos, eles sempre desistiram das próprias práticas assim que encontraram outras melhores". O sucesso não foi capaz de cegar os líderes romanos, que entenderam o processo de desaprendizagem como um propulsor para revigorar seus pensamentos e evoluir de acordo com o espírito do tempo.

O líder como construtor de ambientes de aprendizado deve ser capaz de exercitar essa prática de reciclar continuamente seu repertório, abrindo espaço ao novo e criando as bases para um sistema organizacional que organiza esse ciclo de maneira estruturada e junto a todos os colaboradores.

O'Reilly define que esse ciclo acontece de modo dinâmico em três etapas:

1. **Desaprendizado;**
2. **Reaprendizado;**
3. **Descoberta.**

De acordo com a figura a seguir, reproduzida da obra de O'Reilly, esse movimento é cíclico e interrelacionado em um processo contínuo.

A etapa da reaprendizagem exige que o indivíduo esteja aberto a novas informações, experimentações e para a adoção de novos hábitos. O avanço ocorre na fase da descoberta, quando há oportunidade e tempo para refletir sobre as novas coisas aprendidas e são gerados insights sobre as possibilidades de aplicação e correlação com outros contextos.

Uma referência concreta do impacto desse processo em um sistema organizacional tem como protagonista uma das organizações do empreendedor Elon Musk. Um dos maiores desafios da SpaceX sempre foi o de viabilizar a corrida espacial por investimentos mais acessíveis do que os convencionais. O custo de produção de um foguete para lançamento nos Estados Unidos tradicionalmente girava em torno de 65 milhões de dólares. Esse montante era tão alto que fez com que o país renunciasse à corrida aeroespacial, reduzindo drasticamente os investimentos nessa frente.

Contrariando as resistências de uma rivalidade histórica, os Estados Unidos recorreram à prestação de serviços da Rússia para a demanda de lançamento dos foguetes e satélites ao espaço. O valor desse serviço, tradicionalmente, era de cerca de 15 a 20 milhões de dólares, ou seja, menos da metade do projeto americano. Mas, com todos os experimentos e o projeto da SpaceX, foi possível produzir seu primeiro foguete, o Falcon I, por 7 milhões de dólares, quase 10% do valor total do projeto original americano.

Como foi possível obter uma vantagem tão expressiva inimaginável para uma reflexão tradicional sobre esse processo?

Em sua biografia, Musk conta que, ao estruturar as equipes de trabalho da empresa, percebeu enormes dificuldades em inovar nos processos existentes por meio dos experientes executivos da indústria aeroespacial. A despeito de seu alto preparo técnico, havia obstáculos imensos para que esses indivíduos abandonassem crenças do passado.

A solução consistiu em estimular toda a organização a pensar de maneira distinta, respeitando a base de aprendizado anterior, mas sem ficarem presos a esse nível de conhecimento. Além de um processo deliberado para reciclar o conteúdo tradicional, Musk comenta que a estratégia de trazer novos colaboradores egressos do Vale do Silício que não tinham experiência com o segmento foi fundamental para prover uma fusão de repertórios. A consequência prática dessa ebulição foi viabilizar uma organização inteira em um dos setores mais complexos do mundo por meio de uma proposta de valor impensável tempos atrás.

Para gerar resultados consistentes como os que mencionamos, é imperativo que o sistema de aprendizagem corporativo obedeça a um processo sistêmico e contínuo, e não a iniciativas desencontradas esporádicas sem um eixo comum.

Esse sistema deve ir além dos programas de treinamento clássicos e ser composto por iniciativas que estimulem as pessoas a aprenderem com a geração de novos conhecimentos, confrontando situações inéditas e desenvolvendo abordagens inovadoras para criar valor.

É um tipo de aprendizado que ocorre na linha de frente do ambiente de trabalho. É aprender por meio da ação, e não apenas de modo formal ou reativo. Para que resulte em valor, o conhecimento deve gerar ação concreta – e ser originário de experiências reais.

Essa dimensão se integra ao líder colaborador, uma vez que a colaboração se reveste em processo de aprendizado e sua governança é central para que lições sejam extraídas dessa jornada, gerando evolução contínua.

UM NOVO SISTEMA DE APRENDIZADO PARA NOVOS CONHECIMENTOS

Não podemos, no entanto, negligenciar os desafios dessa mudança. Promover a educação para o topo da agenda empresarial é uma novidade em relação ao pensamento convencional.

O aprendizado ainda é concebido como uma despesa e algo a ser gerenciado com firmeza em nome da eficiência operacional. Dessa reflexão, indicadores ineptos como a mensuração da hora/treinamento por colaborador em uma organização emergem como se tempo de capacitação fosse sinônimo de aquisição de conhecimento.

Os líderes devem se desapegar dessa visão convencional sobre o aprendizado e introjetar a convicção de que a capacidade de aprender é uma das competências mais críticas nesse novo mundo, pois ela é a propulsora da criação de novos valores mais significativos que auxiliarão a organização a ser mais eficiente.

É uma visão muito mais pragmática e realista do que muitas vezes parece, já que se convencionou uma perspectiva por vezes muito distante da prática sobre o valor do conhecimento dentro das empresas. Esse distanciamento resulta em questionamentos como "Qual o resultado efetivo daquele treinamento do fim de semana?" ou "O que acontece na segunda-feira?". Reputar a responsabilidade pela falta de resultados práticos em um processo de aquisição de conhecimento é a saída para aqueles que não entendem que é sua responsabilidade construir uma arquitetura que correlacione conhecimento com ação. Estamos matando o mensageiro.

O líder como construtor de ambientes de aprendizado rompe essa estrutura de pensamentos arcaica que, a despeito de suas raízes no passado, expressa-se com outra roupagem em um ambiente que, devido à sua aceleração, faz com que muitos tenham a tendência de responder rapidamente às demandas sem a oportunidade de se aprofundar mais.

Essa abordagem fomenta o pensamento incremental e tende a espalhar os recursos da organização por um número crescente de iniciativas sem que nenhuma receba uma massa crítica profunda de atenção ou recursos. Inevitavelmente, o resultado é um alto nível de ineficiência.

A construção de um sistema formal de aprendizado tem como objetivo central preparar a organização e seus colaboradores para obterem sucesso e prosperarem em um mundo cada vez mais complexo. É função do líder desenvolver essa arquitetura, atividade que não pode ser delegada a nenhuma área funcional ou departamento em específico.

O mundo exponencial exige novas abordagens e organizações fundamentalmente distintas das atuais. Isso exige, por sua vez, um sistema de aprendizado estruturado e que tenha escala para criar, de modo contínuo, novos conhecimentos e não apenas compartilhar os existentes.

O líder do futuro é aquele que aprende o tempo todo, como celebrizado pelo autor político americano Benjamin Barber em uma frase clássica: "Eu não divido o mundo entre fracos e fortes, ou os bem-sucedidos dos malsucedidos. Divido o mundo entre os que aprendem e aqueles que não aprendem".

Nossa constelação da liderança será concluída no próximo capítulo. Vamos refletir sobre um tema essencial: a liderança não se expressa a qualquer custo nem em qualquer contexto. Ela é fruto de demandas da sociedade. Dessa constatação emerge o líder ESG.

LÍDER TRADICIONAL × LÍDER CONSTRUTOR DE AMBIENTES DE APRENDIZADO

LÍDER TRADICIONAL	LÍDER QUE APRENDE
Entende que tem todas as respostas para as demandas atuais.	Tem humildade para saber que necessita aprender continuamente para atualizar seu repertório.
Não investe continuamente em seu desenvolvimento pessoal.	Assume a posição de principal aprendiz do negócio, buscando aprender ativa e continuamente.
Adota o mindset fixo e é resistente às mudanças e apegado às próprias crenças.	Adota o mindset de crescimento, valorizando o aprendizado contínuo.
Delega a segundo plano a construção de um ambiente de aprendizado.	Valoriza e protagoniza a construção de uma arquitetura organizacional voltada ao aprendizado.
Não tem uma agenda de interação com outros líderes ou organizações para aprender novas práticas ou conhecimentos.	Dedica parte de sua agenda para aprender com outras empresas, startups e novos líderes, revigorando seu repertório.
Entende o aprendizado como um sistema formal e estático.	Nutre e promove a visão do aprendizado infinito.
Sempre busca ser o primeiro a lançar novos projetos em seu segmento, não importando a evolução do aprendizado.	Entende a importância de ser o mais rápido a aprender em detrimento de apenas ser o primeiro a lançar novos projetos.
Valoriza a especialização do conhecimento.	É um especialista-generalista.
É resistente a novos aprendizado, ficando preso a modelos exitosos do passado.	Está continuamente reciclando seu conhecimento por meio da prática do desaprendizado.
Concebe os investimentos em aprendizado na companhia como despesas e busca seu resultado a curto prazo.	Entende a perspectiva do aprendizado organizacional como um investimento orientado à sustentabilidade do negócio.

ACESSE O QR

Quer saber mais sobre o líder construtor de ambientes de aprendizado? Acesse **https://gestaodoamanha.com.br/app/lideranca-disruptiva/lider-que-aprende-sempre** ou aponte a câmera do seu celular para o QR Code ao lado e confira um conteúdo exclusivo!

Os líderes devem se desapegar dessa visão convencional sobre o aprendizado e introjetar a convicção de que a capacidade de aprender é uma das competências mais críticas nesse novo mundo, pois ela é a propulsora da criação de novos valores mais significativos que auxiliarão a organização a ser mais eficiente.

CAPÍTULO 9

O LÍDER ESG

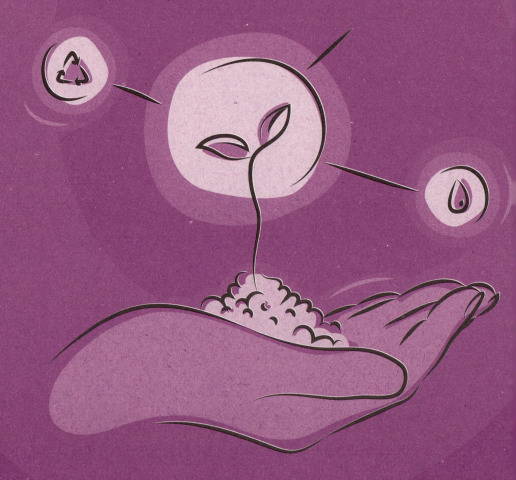

Qual é o papel social de uma empresa? Esse tema tem gerado acaloradas discussões, e não é de hoje. Afinal, o único objetivo de uma organização é gerar lucro e retorno financeiro a seus acionistas?

A perspectiva mais funcional sobre o ambiente corporativo fundamentada na Primeira Revolução Industrial consolidou uma visão racional acerca do papel das empresas na sociedade, enfatizando essa dimensão financeira como eixo central de sua função. Com a evolução da sociedade, no entanto, não tardou a surgir um questionamento quanto a essa dimensão, partindo do pressuposto básico de que toda organização, independentemente de sua natureza, é uma entidade social, uma vez que habita, cria e extrai valor na própria sociedade.

Foi Peter Drucker (mais uma vez ele!) quem deu voz a esse pensamento quando, na obra *Desafios gerenciais para o século XXI*, reiterou a visão da empresa como organismo vivo, e não apenas uma estrutura formal expressa por um CNPJ (identificação jurídica no Brasil). Com isso, as organizações adquirem papel social e assumem a missão de entregar valor à sociedade como uma de suas funções básicas. Essa concepção abandona a visão restrita de que empresas só existem para gerar lucro financeiro, negligenciando todos os seus impactos no ambiente em que estão inseridas e a todos os seus stakeholders no papel de colaboradores, clientes, comunidades, entre outros.

O êxito de uma organização, portanto, extrapola o lucro financeiro, que não é negligenciado de maneira alguma, Drucker comentava que o lucro é o modo como a sociedade recompensa a empresa que cria valor para a própria sociedade. Acontece que o êxito da empresa agrega a essa dimensão uma importante necessidade de convivência pacífica e harmônica com todos os elementos de seu entorno sem impactá-los negativamente.

A ideia do lucro acima de tudo cai por terra devido a uma sociedade mais diligente, que não tolera mais entidades que negligenciem seu papel social sob a justificativa de que suas responsabilidades se esgotam nos limites de suas quatro paredes. A sustentabilidade encontra o mundo empresarial e se torna uma realidade cada vez mais dominante nas discussões entre líderes corporativos.

Ainda na década de 1990, o inglês John Elkington publicou um artigo que gerou forte impacto no ambiente acadêmico e empresarial. Em Accounting for the Triple Bottom Line,[25] o autor cunha as bases do conceito *triple bottom line*, que, em português, foi traduzido como "tripé da sustentabilidade".

A essência desse conceito consiste no entendimento de que uma organização sustentável equilibra sua ação na geração de valor lastreada por três pilares: pessoas, planeta e lucros. Entra em cena a questão ambiental, que, com a dimensão financeira e a das pessoas, formam as bases de uma empresa bem-sucedida. De acordo com essa tese, as organizações devem se dedicar a mensurar essas três dimensões demonstrando de maneira transparente seu impacto em cada uma delas.

Assim, forja-se a visão de que um negócio saudável alia a geração de lucros financeiros com uma relação saudável com as demandas ambientais e sociais. Essa é a base do conceito *triple bottom line*.

Observe como o conceito de sustentabilidade, que ao longo dos anos foi associado de maneira enfática com as relações com o meio ambiente, passa a ter uma dimensão muito mais abrangente do que exclusivamente a preservação de recursos naturais e a redução da agressão ao planeta. Uma organização sustentável, portanto, é aquela que tem condições de gerar lucro financeiro de maneira equilibrada e responsável, respeitando o ambiente em que está inserida e também as demandas sociais.

Como demonstramos anteriormente, o mundo mudou muito desde que as bases desse conceito foram lançadas. Porém, a relevância da sustentabilidade só foi reforçada e cresceu ano a ano como consequência de um nível de consciência cada vez maior da sociedade a respeito do papel das organizações. E a internet impulsionou essa tendência na medida em que conferiu enorme transparência a todos os atos de uma empresa, atribuindo uma visibilidade sem precedentes e em escala mundial de todos as suas condutas.

Em 2004, de modo evolutivo a tudo o que foi construído anteriormente, emergiu um conceito que consolidou essa visão e reforçou sua perspectiva de maneira pulverizada e potente no mundo empresarial. O documento

Who Cares Wins,[26] criado pelo Pacto Global da ONU com o Banco Mundial, também em 2004, provocou as principais instituições financeiras, responsáveis por boa parte do financiamento a empresas globalmente, a refletirem sobre formas de integrar o capital a fatores sociais, ambientais e de governança.

Nasce, assim, o conceito ESG. A sigla vem do inglês, de cada uma das iniciais das palavras *environment*, *social* e *governance*, que, em português, significam ambiente, social e governança.

Pela primeira vez, o racional e pragmático ambiente financeiro é estimulado a refletir sobre dimensões que vão além das financeiras na sua responsabilidade de financiar o desenvolvimento sustentável das organizações.

Mais do que medidas assertivas, a agenda ESG traz uma dimensão humana para os ambientes financeiro e empresarial alinhada com as demandas da sociedade e da sustentabilidade do planeta. A consequência da adoção dessa reflexão por parte do mercado financeiro é que as decisões de investimentos começarão a considerar em sua análise de risco as dimensões ambientais e sociais além da governança, já presente tradicionalmente nesse meio.

Isso significa que o acesso a capital para a expansão e evolução de seus negócios implica empresas demonstrarem de maneira explícita que rezam por essa cartilha. Do contrário, ou estão alijadas de linhas de crédito vultosas ou então se submeterão a pagar uma taxa de juros maior do que se estiverem em conformidade com as práticas ESG.

Para que você tenha uma ideia do impacto dessa dimensão: de acordo com o estudo A evolução do ESG no Brasil, produzido pela Rede Brasil do Pacto Global e Stilingue,[27] pesquisas apontam que, até 2025, 57% dos ativos de fundos mútuos de investimento na Europa considerarão os critérios ESG nas suas decisões. Isso representa um valor aproximado de 9 trilhões de dólares de capital que só serão destinados a organizações que cumprirem esses requisitos. No Brasil, em 2020, os chamados Fundos ESG captaram mais de 2,5 bilhões de reais, posicionando-os no alto do ranking em obtenção de capital para investimentos.

Como não poderia ser diferente, o tema é promovido ao topo da agenda de todo líder. Se há décadas sua relevância se evidenciava como uma realidade na relação da organização com a sociedade, quando seu impacto se estende para o pragmatismo do mercado financeiro, o processo é irreversível.

Não há opção de o líder negligenciar essa dimensão no rol de suas responsabilidades principais, independentemente de sua posição hierárquica ou de sua área de atuação.

EMPRESA RESPONSÁVEL, LÍDER ÉTICO

Indo além da agenda ESG e do conceito do *triple bottom line*, a sociedade é cada vez mais diligente quanto à ação de uma organização. A visão da empresa cidadã é resultante do processo de transformação de uma organização para esse novo mundo. Pedro Bueno afirma que as empresas que não entenderem essa lógica estão fadadas ao fracasso em curto prazo.

O líder ESG simboliza essa dimensão enfatizando seu papel no fortalecimento e na preservação dessa visão em toda a companhia, organizando seus esforços e iniciativas para que estejam em sintonia com as dimensões e as demandas sociais.

É inegável que a adoção desse papel não acontece sem percalços. Um dos maiores desafios do líder atual é compatibilizar o tradicional modelo de crescimento das organizações, que tem como predominância a dimensão financeira, com um modelo mais equilibrado que adicione em seu eixo central as perspectivas sociais e ambientais. Porém, se é responsabilidade central do líder zelar e garantir a sustentabilidade da companhia, não há como abster-se de uma atuação orientada a essa perspectiva.

Maira Habimorad, da Cia de Talentos, foi, entre nossas entrevistadas, a que mais trouxe ênfase a essa dimensão. Ela ressaltou que o novo líder deve adotar uma visão moral filosófica que vai além das dimensões tradicionais de seu papel como gestor. Essa interpretação ganha contornos ainda mais críticos quando observamos os impactos éticos e os novos dilemas gerados em um mundo cada vez mais aberto. Quais são os limites da inteligência artificial? Como lidar com as questões de privacidade? Quais são as fronteiras entre o público e o privado?

Em um ambiente onde inéditos enunciados surgem diariamente, o líder terá papel fundamental na promoção das reflexões sobre os caminhos mais seguros para a evolução sustentável da organização que lidera, bem como para as demandas da sociedade.

Essa ambiguidade, e uma jornada repleta de paradoxos, é mais um componente a desconstruir a visão do líder que tem todas as respostas prontas. Em meio a essa incerteza, o líder ESG se afiança de um comportamento unânime em nossas pesquisas: a coerência de seus atos.

À medida que convicções dão lugar a indagações, a coerência se reveste de oportunidades para aumentar o engajamento de todos em prol de um caminho que, mesmo incerto, traz harmonia por meio da uniformidade de seus comportamentos e de seus atos.

As gerações passadas acostumaram-se a líderes incoerentes, habituados a promover um comportamento e agir de maneira antagônica, inclusive às escuras (às vezes, às claras mesmo). Esses pseudolíderes valiam-se de seu poder hierárquico para fazer o que bem entendessem e – pasmem –, se entregassem resultados financeiros positivos, eram aceitos em seu ambiente.

Eric Santos, ancorado em sua própria jornada como bem-sucedido líder de uma startup, é categórico ao reconhecer os desafios de lidar com novas questões diariamente e assumir que "o que não é possível é tomar decisões pessoais que não estejam alinhadas com meus atos à frente da organização".

A visão do líder ESG compreende uma liderança genuína, ética e em conformidade com as demandas sociais. Aliás, se essa sociedade é diligente em relação ao papel social das empresas, a mesma exigência é transmitida a seus líderes, que são cobrados por suas decisões. Essas decisões, por sua vez, estão cada vez mais transparentes e extrapolam os limites da empresa.

É importante reconhecer que não existe fórmula pronta nem uma receita predefinida para as decisões de qualquer líder. Cada um vai encontrar sua própria caminhada, porém a coerência de seus atos realizados de maneira genuína e em sincronicidade com as reinvindicações da sociedade vai contribuir decisivamente para a preservação de sua autoridade como líder.

O líder ESG é consciente de sua humanidade e entende sua responsabilidade para a construção de uma organização humanizada, ética e cidadã. Além de construir as bases para que sua empresa reze por essa cartilha, esse líder define que os valores essenciais são a base para formar novos líderes dentro da companhia.

A empreendedora Janete Vaz é enfática na sua visão de que o legado, lastreado por valores essenciais, é a base da estrutura de uma organização e o principal responsável por sua longevidade. Essa dimensão não é negociável em uma companhia que visa deixar uma marca importante com sua existência no ambiente em que está inserida.

Ao evidenciar essa perspectiva, a organização torna-se mais chamativa na atração e no engajamento de indivíduos com uma visão comum. Por meio de um ciclo virtuoso, há o fortalecimento de sua reputação, resultando na tendência pela geração de resultados sólidos e sustentáveis.

É importante que esses valores sejam declarados explicitamente pela organização, com clareza e transparência. É aí que entra uma ferramenta poderosa que está à disposição do líder, que já evidenciamos quando exploramos a visão do líder colaborador: a construção e divulgação do propósito da organização.

PROPÓSITO TRANSFORMADOR MASSIVO

Como resultado da evolução da sociedade que estruturamos ao longo deste capítulo, temos testemunhado uma valorização crescente desse sistema nas empresas, uma vez que indivíduos na sociedade, em seus mais distintos papéis, almejam relacionar-se com visões de mundo e não apenas com marcas ou CNPJs. Instadas por essa demanda, companhias adotaram um papel ativo na construção de seus propósitos, deixando claros seus valores e suas crenças, que se traduzem na natureza de seu relacionamento com a sociedade.

No livro *Organizações exponenciais*, os autores apresentam um conceito que potencializa esse sistema, visando preencher a lacuna entre a visão clássica do propósito e as demandas do novo ambiente empresarial. Surge o Propósito Transformador Massivo (ou TMP, na sigla em inglês).

O Propósito Transformador Massivo está ancorado no entendimento de que as empresas devem se dedicar à solução de problemas abrangentes

É importante reconhecer que não existe fórmula pronta nem uma receita predefinida para as decisões de qualquer líder. Cada um vai encontrar sua própria caminhada, porém a coerência de seus atos realizados de maneira genuína e em sincronicidade com as reinvindicações da sociedade vai contribuir decisivamente para a preservação de sua autoridade como líder.

que impactem, de modo massivo e transformador, um universo expressivo de indivíduos em sociedade. Salim Ismail, um dos autores do livro, junto aos líderes da Singularity University afirmam que o TMP não é uma mera declaração de missão da organização, mas uma mudança cultural que move o ponto focal de uma equipe da política interna do negócio para seu impacto externo.

Essa perspectiva fundamenta-se na constatação de que, espremidos pelas suas constantes questões políticas e pelos mecanismos de poder, as organizações e seus líderes gastam tempo excessivo com questões internas e perdem o contato com seu mercado e com seus clientes.

Ao líder ESG cabe libertar a organização e seus colaboradores dessas amarras que geram dispersão de energia e perda de foco e orientar a empresa sobre a transformação massiva por meio de seu negócio ancorado em seu propósito essencial.

Um Propósito Transformador Massivo é:

- **Único;**
- **Inspirador;**
- **Abrangente (não é estreito nem orientado a uma tecnologia específica);**
- **Destinado ao coração e à mente;**
- **Declarado com sinceridade e confiança.**

O propósito, assim, é o farol que ilumina e guia todos os esforços da organização, coroando a mentalidade de crescimento e orientando a evolução exponencial da organização.

Ao líder ESG cabe, mais do que articular adequadamente esse enunciado, garantir sua preservação e manutenção em toda a corporação.

PAUTAS SOCIAIS ALINHADAS AO PROPÓSITO

Hubert Joly é um líder que representa de maneira inequívoca essa perspectiva. Ao assumir a posição de CEO de uma combalida Best Buy em

2012, toma a liderança de uma companhia desacreditada e massacrada pela concorrência da Amazon e que havia apresentado um prejuízo de 1,7 bilhão de dólares apenas em um único trimestre.

De acordo com o que demonstramos no livro *Estudo de casos – gestão do amanhã*, em 2020, com Joly já no papel de presidente do Conselho de Administração, a empresa bate seu recorde de faturamento atingindo a marca de 47,3 bilhões de dólares.

Inúmeras iniciativas exitosas orientadas à transformação do negócio de varejo foram promovidas por Joly, porém chama a atenção como ele, no autêntico papel de líder ESG, foi capaz de articular o propósito da organização com sua estratégia e transformar essa ação em um pilar fundamental para a recuperação da companhia.

Em sua obra *The Heart of Business*, Joly conta detalhes dessa jornada enfatizando sua visão essencial de que é necessário colocar as pessoas e o propósito no coração da organização, assumindo seu papel e sua responsabilidade social. Nesse sentido, traz uma contribuição essencial para que a organização não corra o risco de encarar o propósito como um mero enunciado bonito nas apresentações de PowerPoint de seus executivos em detrimento do engajamento com seu poder mobilizador: é necessário desenvolver um propósito corporativo que esteja sintonizado com a natureza do negócio, integrando-o à sua estratégia.

De acordo com Joly, a organização pode assumir diversas pautas sociais em sua agenda, porém serão mais poderosas, de longo alcance e bem-sucedidas aquelas que estiverem alinhadas à essência do negócio. Elas se tornarão uma extensão de sua estratégia, em vez de um anúncio arbitrário aleatório.

Um exemplo concreto dessa concepção pode ser encontrado em uma das iniciativas preferidas do líder: o Best Buy Teen Tech Center. São centros de treinamento de tecnologia para crianças de comunidades carentes, que prepara e educa os jovens para terem condições de desenvolver suas carreiras em um setor com muito potencial. No fim de 2020, havia quarenta desses centros espalhados por todos os Estados Unidos, e os fornecedores da Best Buy são convidados a ajudar na construção desses espaços, demonstrando o poder da força coletiva para fazer o bem.

Observe como essa iniciativa está integrada ao negócio da companhia, tendo correlação com tecnologia e empoderamento das pessoas por meio dos equipamentos comercializados pela organização. Além disso, ao envolver os fornecedores de seu ecossistema, a empresa potencializa sua ação e fortalece a parceria com companhias que são parte essencial de seu negócio.

Joly vai adiante e articula como o fortalecimento do propósito da organização é essencial para engajar os investidores da companhia, uma vez que se trata de uma empresa aberta com ações negociadas na Bolsa de Valores americana.

Esse público, em geral, é tratado como tendo um foco curto-prazista com uma orientação exclusiva à geração de lucros financeiros. Como demonstramos, com a evolução das demandas da sociedade e da agenda ESG, essa dimensão tem mudado. Joly comenta que, ao enfatizar explicitamente que o propósito da Best Buy não é fazer dinheiro a todo custo, a empresa é capaz de atrair aqueles que têm afinidade e conexão com essa visão, diminuindo os atritos potenciais com esses agentes.

Aliás, a reformulação da visão da Best Buy foi uma das peças centrais em sua estratégia de reconstrução. Ela levou dois anos e envolveu todos os colaboradores em um movimento que levou o nome de Renew Blue. Joly explica que após todo esse processo chegaram a uma formulação de propósito que fazia sentido a eles, com significado para todos como seres humanos. O objetivo da Best Buy é enriquecer a vida de seus clientes por meio da tecnologia.

Note como esse enunciado enquadra-se nas cinco condições de um TMP: ele é único, inspirador, abrangente, destinado a corações e mentes e declarado com sinceridade e confiança.

Em relação a esse último atributo, Joly enfatiza que ele é alcançado quando a companhia aborda as necessidades humanas por meio de suas ações nas principais áreas de entretenimento, produtividade, comunicação e até de alimentos, segurança e saúde e bem-estar.

A preocupação fundamental que o líder ESG deve ter é de que esse propósito não se restrinja a uma declaração vazia, dissociada das práticas da organização. Para que isso não aconteça, Joly sugere que ele seja avaliado de acordo com cinco critérios. Pergunte a si mesmo se seu propósito é:

1. **SIGNIFICATIVO.** Em outras palavras, isso faz uma diferença real na vida das pessoas? Tem o potencial de fazer uma diferença significativa para todas as partes interessadas?
2. **AUTÊNTICO.** Corresponde àquilo com que as pessoas da empresa se preocupam profundamente? Ressoa com os valores da empresa?
3. **CRÍVEL.** Ele aproveita as habilidades ou ativos exclusivos da empresa? A empresa pode entregar de uma maneira que faz uma diferença significativa? Faz sentido para os negócios? Pode ser traduzido em ações concretas?
4. **PODEROSO.** As necessidades que a empresa atende são importantes e consideráveis? Quanto de bom vem de atender a essas necessidades?
5. **CONVINCENTE.** É claro, específico e aspiracional o suficiente para inspirar e mobilizar pessoas dentro e fora da empresa?

COMUNIDADES PRÓSPERAS

Para garantir que ele esteja integrado à rotina das pessoas dentro da organização, além de sua integração com a estratégia do negócio é necessário engajar todos nesse enunciado, permitindo que cada colaborador se aproprie dele, traduzindo-o em seu trabalho individual.

Além disso, o líder ESG deve criar um ambiente para que todos possam e estejam dispostos a dar o seu melhor para apoiar e fortalecer o propósito escolhido. De acordo com Joly, esse é o trabalho árduo que constrói empresas cujo propósito é genuíno, vivenciado e valorizado por todos, traduzindo-se em práticas e comportamentos rotineiros.

Para coroar essa visão, o líder estruturou o conceito de comunidades prósperas por meio de uma representação gráfica que articula todos os agentes que devem ser mobilizados na busca do propósito da empresa.

UMA DECLARAÇÃO DE INTERDEPENDÊNCIA*

Como mobilizar todas as partes interessadas em busca do propósito da empresa

Esse conceito tangibiliza a visão central que o propósito tem para a bem-sucedida jornada das organizações vitoriosas da nova era. Essas jornadas aliam criação de valor financeiro com geração de valor a comunidades, clientes, acionistas e fornecedores, tendo os colaboradores engajados como principais fomentadores e articulistas desse processo.

O líder ESG não é apenas o guardião dessa dimensão, mas também seu designer. É o líder que permite que essa mensagem se traduza, de maneira sistêmica, em práticas por todos os stakeholders da organização.

Além disso, é imprescindível reforçar um componente que não pode estar de fora da agenda do líder nessa construção: o compromisso com as questões éticas.

---

* Adaptada de: JOLY, H. **The Heart of Business:** Leadership Principles for the Next Era of Capitalism. Boston: Harvard Business Review Press, 2021.

Há o risco de o fomento à visão da relevância do crescimento exponencial (a parte transformadora e massiva do enunciado) ser interpretado com a perigosa visão do crescimento a qualquer custo. Mais uma vez enfatizamos que desrespeitar as questões básicas relativas às principais pautas da sociedade resultará na fragilidade da sustentabilidade futura da organização. É de responsabilidade do líder preservar a companhia desse risco, seguindo os preceitos de equilíbrio do seu crescimento com as demandas da sociedade.

O empreendedor Eric Santos enfatiza que os elementos relacionados ao propósito de uma organização são um dos diferenciais mais claros de uma empresa e fator decisivo para o engajamento e a fidelização dos indivíduos dentro de uma organização.

Toda essa construção da constelação da liderança demonstra, de maneira clara e translúcida, como a liderança é, sobretudo, um exercício de desprendimento. O líder só se torna pleno quando é legitimado por aqueles que escolhem segui-lo. Isso vai além de sua posição hierárquica. Pessoas não seguem cargos. Pessoas seguem pessoas.

Carol Dweck, no livro *Mindset*, demonstra pesquisas que apontam que os líderes que focam, exclusivamente, seu esforço na própria reputação, fazem isso à custa da companhia que lideram, gerando uma relação desequilibrada entre as partes. Esse comportamento não está, de maneira alguma, alinhado com a visão do líder contemporâneo que entende a relevância de sua posição, porém não se deixa levar pela armadilha da soberba.

Quando líderes se consideram gênios ou visionários, não conseguem construir grandes equipes, pois passam mais tempo reforçando essa posição e afagando o próprio ego do que empoderando as pessoas de sua equipe. O líder ESG vai além dessa agenda. Ele entende seu papel no mundo e não se exime de sua responsabilidade social, por isso adota uma postura que extrapola a visão tradicional do gestor.

A sociedade necessita cada vez mais de líderes que façam a diferença em uma perspectiva de longo prazo. Mais do que uma visão humanitária, essa é uma dimensão que tende a trazer resultados não só para a organização, mas também para todo o planeta.

LÍDER TRADICIONAL × LÍDER ESG

LÍDER TRADICIONAL	LÍDER ESG
Acredita no crescimento a todo custo da organização.	Investe no crescimento sustentável da organização alinhado às pautas valorizadas pela sociedade.
Entende que o papel da organização é maximizar lucros e entregar valor aos acionistas.	Entende que o papel de uma organização vai além da dimensão exclusivamente financeira e envolve seu papel social na relação com todos os agentes com que interage.
Negligencia a agenda ESG em sua gestão.	Alinha a ação da organização à agenda ESG.
É flexível quanto à coerência de seus comportamentos e decisões.	Entende a relevância da coerência de suas decisões e de seus comportamentos para fortalecer as crenças da companhia.
Ignora os valores essenciais na gestão e na formação de suas equipes.	Entende a relevância dos valores essenciais como base para formação de novos líderes na sua organização.
Estrutura a construção de missão, visão e valores da companhia.	Alia a essa estrutura a construção do propósito transformador massivo.
Dedica-se exclusivamente à construção da visão do propósito da organização e delega sua preservação a departamentos funcionais.	Além de articular o enunciado do propósito, garante, pessoalmente, sua preservação e manutenção em toda a organização.
Entende o propósito como um enunciado segregado do negócio.	Articula a visão do propósito com a estratégia do negócio.
Delega a segundo plano as questões éticas.	O compromisso com as questões éticas está no topo de sua agenda.
Concentra seus esforços na própria reputação em detrimento de sua equipe.	Entende que seu papel é empoderar as pessoas para que sejam capazes de empregar todo o seu potencial.

ACESSE O QR

Quer saber mais sobre o líder ESG? Acesse https://gestaodoamanha.com.br/app/lideranca-disruptiva/lider-esg ou aponte a câmera do seu celular para o QR Code ao lado e confira um conteúdo exclusivo!

O líder só se torna pleno quando é legitimado por aqueles que escolhem segui-lo. Isso vai além de sua posição hierárquica. Pessoas não seguem cargos. Pessoas seguem pessoas.

CONCLUSÃO

CORAGEM

Em todas as nossas entrevistas com essa turma (cerca de vinte) – que, mais do que experts excepcionais, são adoráveis protagonistas que nos auxiliaram, com generosidade genuína, na elaboração desta obra – sempre explorávamos a perspectiva pessoal sobre o líder do futuro ou o futuro do líder.

Aos poucos, um substantivo foi surgindo de maneira unânime e cada vez com mais potência. Ele surgiu com força tanto nas assertivas palavras da doutora Janete Vaz quanto na visão experiente de John Davis, um dos consultores mais reconhecidos do mundo, passando pela visão de Jim Collins, Ram Charan, Alex Osterwalder, David Ulrich, Philip Kotler e tantos craques com quem conversamos para estruturar nossa visão.

Coragem.

Inicialmente, separamos essa percepção para encaixá-la em alguma das dimensões de nossa constelação. Posteriormente, no entanto, ao estruturar todos os elementos de nosso modelo, começamos a ter a real definição de sua tradução na evolução pela qual passa o líder.

É inegável que todo esse contexto de transformações gera a necessidade de confrontarmos o *statu quo*, o padrão estabelecido há séculos no ambiente empresarial.

Esse comportamento é trivial apenas quando se trata de uma orientação formal contida nas páginas deste livro. Na prática, no entanto, envolve enfrentar riscos até então não enunciados, tendo como consequência poucas garantias do êxito dessas decisões.

A coragem está contida nesse contexto e é a condição básica para a adoção de medidas práticas e concretas, a começar pela análise de como todo esse contexto da nossa constelação se reflete em seu comportamento atual.

Reiteramos em muitas passagens deste livro que uma das responsabilidades mais relevantes do líder é zelar pela sustentabilidade da organização na qual lidera. Em algumas situações, essa sentença é confundida com a concepção de cuidar para que uma empresa seja estável.

A estabilidade tem a ver com continuar a ser o mesmo. Em um ambiente como o atual, esse estado não é garantia de sustentabilidade quando se configura em um iminente risco para a rápida obsolescência da organização e sua perda de relevância ou extinção. Nada tão distante da responsabilidade pela sustentabilidade da companhia.

Ao adaptar seu estilo de liderança a esses novos tempos, o líder almeja que sua empresa enfrente a mudança, e também que seja capaz de se transformar com ela. Nesse mesmo enunciado cabe a sua evolução pessoal: o líder abraça a mudança e é capaz de se transformar pessoalmente com esses aprendizados. É necessário coragem para se aventurar por esses mares revoltos e turbulentos.

Tomar uma decisão, mapeando seus riscos – arriscando-se a novas possibilidades – é melhor do que não tomar decisão alguma. A exposição do líder aumenta em um ambiente onde todas as perguntas foram embaralhadas e a resposta única é mais do que uma abstração: trata-se de ingenuidade em alguns casos e arrogância em outros.

A querida Sofia Esteves alia um elemento adicional à coragem, que está relacionado a essa incerteza e imponderabilidade: o líder deve ser autêntico!

Ao assumir suas decisões de maneira genuína, enunciando suas escolhas legitimamente, o líder aumenta o engajamento com seus colaboradores à medida que incrementa o processo de identificação e afinidade.

A humanização da liderança compreende essa dimensão e funciona como contraponto ao clássico perfil do líder imbatível, super-homem ou supermulher.

Em nenhum momento deixamos de enfatizar que a jornada rumo à transformação pessoal apresentada nesta obra compreende uma solução simples. Pelo contrário, entendemos estar diante de um dos maiores desafios pessoais do século, e essa convicção foi uma das principais motivações para elaborarmos este livro.

Essa complexidade envolve lidar com situações e emoções contraditórias geradoras de incerteza e, por vezes, de medo. Por esse motivo, o investimento em autoconhecimento é um pressuposto fundamental para que indivíduos encarem essa caminhada com serenidade.

Sandra Gioffi comenta que, muitas vezes, falta o autorretrato para que o líder reconheça as próprias competências, fortalezas e fraquezas.

Ao adaptar seu estilo de liderança a esses novos tempos, o líder almeja que sua empresa enfrente a mudança, mas também que seja capaz de se transformar com ela.

Sem essa percepção, o processo de transformação se reveste de um exercício de autoengano com resultados desastrosos, já que se rompe a estabilidade que sustentava o equilíbrio emocional vigente.

Sem uma autopercepção clara não há evolução pessoal. Dimensão essa que nunca foi valorizada no racional ambiente empresarial. Não havia espaço para emoções, que eram vistas como sinal de fraqueza. O novo líder, no entanto, entende que essa visão está distante da realidade e a afasta de seus liderados, uma vez que evidencia incoerências insustentáveis.

Um dos conteúdos mais assistidos do TED, ciclo de palestras que se popularizou na internet nos últimos anos, é uma apresentação da pesquisadora Brené Brown, com o título "O poder da vulnerabilidade" (posteriormente esse conteúdo deu origem ao livro lançado no Brasil com o título *A coragem de ser imperfeito*).

Publicado em 2010, esse vídeo rodou o mundo e se transformou em um dos conteúdos mais vistos da internet. Nele, Brené Brown ressignifica a visão da vulnerabilidade como fraqueza e explora uma nova leitura: ao ter coragem de assumir suas imperfeições, o indivíduo se empodera, pois tem condições de lidar de maneira explícita com esse desafio.

Maira Habimorad comenta que a vulnerabilidade permite que o líder estabeleça relações genuínas de liderança de maneira mais horizontal, gerando conexão verdadeira e legítima com seus liderados.

Nunca podemos nos esquecer de que o real e verdadeiro sentido da liderança é empoderar as pessoas. Um líder que não se conecta a seus colaboradores, engajando-os na causa da organização, não está cumprindo seu papel essencial. Jim Collins afirma que, em primeiro lugar, é necessário pensar em quem estará conosco em nossa jornada. Todo o restante vem depois.

Essa conexão é colocada em risco todos os dias em um ambiente extremamente turbulento onde situações inéditas geram instabilidade e insegurança em todos. O equilíbrio emocional é uma busca constante para que o líder tenha condições de dar conta dessa situação, mas também de prover a segurança psicológica para sua equipe.

Na obra *Criatividade S. A.*, Ed Catmull, fundador da Pixar, declara que uma de suas principais atribuições como líder era assegurar aos animadores do estúdio que todo filme sempre começava mal, e os ajudava a distinguir entre medo e fracasso. Ao enunciar essa declaração explicitamente buscava oferecer a segurança psicológica para que todos soubessem que o tipo de trabalho que fariam só culminaria em sucesso extraordinário se estivessem dispostos a enfrentar o ruim enquanto avançavam em direção ao bom.

É fundamental que o líder articule um ambiente no qual as pessoas tenham a confiança de se exporem e oferecerem seu melhor, mesmo assumindo os desafios dessa jornada.

O modo como o líder age em momentos de turbulência e alta instabilidade será essencial em como será percebido nos momentos de mais estabilidade e prosperidade. O equilíbrio emocional transforma ansiedade em aprendizados que serão a base para superar desafios importantes que, certamente, surgirão na jornada de todos nós.

Ao apresentar as oito competências transformadoras de nossa constelação da liderança, não almejamos vender a ideia de um líder invencível, que seja capaz de dominar todos esses territórios e personificar o salvador da pátria. Muito pelo contrário. Não acreditamos nessa perspectiva exacerbada de culto ao indivíduo. Entendemos que o verdadeiro poder do líder emana dessa construção e que cada indivíduo terá a própria jornada.

Nossa orientação é que você tenha fluidez sobre cada uma dessas dimensões, construindo um repertório que lhe permita navegar com êxito em sua caminhada pessoal.

Reiteramos a informação que trouxemos na introdução desta obra: nosso entendimento é que o exercício da liderança não está circunscrito ao papel hierárquico que um indivíduo assume em sua trajetória pessoal, e sim ao fato de liderar situações particulares nas quais assume seu protagonismo. Assim, todos somos líderes em algum momento de nossa trajetória.

Retomando um conceito que trabalhamos no Capítulo 8, é imprescindível assumir a perspectiva pessoal do aprendizado infinito para entender que somos uma obra em aberto.

Estamos em um jogo infinito no qual o aprimoramento e evolução contínuos são um dos principais imperativos. A prática do aprendizado nunca acabará e resultará em um progresso constante essencial para sua sustentabilidade e de sua organização em um ambiente que tende a ser cada vez mais incerto e volátil.

Se por um lado os desafios soam assustadores, por outro, estamos em um mundo onde tudo está em aberto. Estão postas as oportunidades para que você seja vitorioso expressando seu próprio "eu" sem ficar preso a modelos estereotipados que, muitas vezes, não traduzem suas crenças e verdades. É a chance de respaldar seu êxito profissional à sua própria visão de mundo.

Retomando o comentário enfático de Silvio Genesini apresentado no início desta obra: esse trem já saiu da estação! Estamos diante de uma das maiores inflexões da história da humanidade. Oportunidades surgem para aqueles que entendem essa lógica e que, de maneira corajosa e legítima, adaptam-se a esse movimento.

Como Ram Charan comenta na obra *Rethinking Competitive Advantage*:

Estou confiante de que uma nova geração de líderes surgirá para enfrentar os desafios do mundo digital de hoje, provavelmente, de muitas fontes diferentes. Abrir caminho para seu crescimento permitirá que eles se desenvolvam, provavelmente muito mais rápido do que pensamos.

A reinvenção da liderança vai muito além de um novo imperativo dos negócios. É a oportunidade de construirmos um mundo mais próspero e uma sociedade mais justa.

Sejam bem-vindos à nova constelação da liderança disruptiva da gestão do amanhã!

ACESSE O QR

Quer avaliar seu perfil atual em relação a cada uma das dimensões da constelação da liderança disruptiva? Acesse http://lideranca.gestaodoamanha.com.br ou aponte a câmera do seu celular para o QR Code ao lado para ir direto a uma ferramenta de diagnóstico exclusiva!

É fundamental que o líder articule um ambiente no qual as pessoas tenham a confiança de se exporem e oferecerem seu melhor, mesmo assumindo os desafios dessa jornada.

BIBLIOGRAFIA

ATHANASOPOULOS, P. How the Language you Speak Changes your View of the World. **The Conversation**, 27 abr. 2015. Disponível em: https://theconversation.com/how-the-language-you-speak-changes-your-view-of-the-world-40721. Acesso em: 5 jun. 2022.

BENEZET, J. **The Journey of not Knowing:** How 21st Century Leaders Can Chart a Course Where There is None. Oregon: Morton Hill Press, 2016.

BROWN, B. **A coragem de ser imperfeito**. Rio de Janeiro: Sextante, 2016.

BRENE Brown. O poder da vulnerabilidade. Vídeo (20min 49s). Publicado pelo canal TED. Disponível em: https://www.youtube.com/watch?v=iCvmsMzlF7o. Acesso em: 4 jun. 2022.

BUSINESSNEWS PUBLISHING. **Summary:** Will and Vision – Review and Analysis of Tellis and Golder's Book. Business Book Summaries, 2014.

CARSE, J. P. **Jogos finitos e infinitos:** a vida como jogo e possibilidade. Rio de Janeiro: Nova Era, 2003.

CATMULL, E. **Criatividade S. A.:** superando as forças invisíveis que ficam no caminho da verdadeira inspiração. Rio de Janeiro: Rocco, 2014.

CHAMBERS, J.; BRADY, D. **Connecting the Dots**. Nova York: Hachette Books, 2018.

CHARAN, R.; WILLIGAN, G. **Rethinking Competitive Advantage:** New Rules for the Digital Age. Danvers: Currency, 2021.

COLLINS, J. **Empresas feitas para vencer**. Rio de Janeiro: Alta Books, 2018.

COLLINS, J.; PORRAS, I. J. **Feitas para durar**. Rio de Janeiro: Alta Books, 2020.

DIAMANDIS, P. H.; KOTLER, S. **The Future is Faster Than You Think**. Nova York: Simon & Schuster, 2020.

DRUCKER, P. **Desafios gerenciais para o século XXI**. São Paulo: Cengage, 2000.

DWECK, C. S. **Mindset:** a nova psicologia do sucesso. São Paulo: Objetiva, 2017.

EPSTEIN, D. **Por que os generalistas vencem em um mundo de especialistas**. São Paulo: Globo Livros, 2020.

GAVAN, V. Why you should become as exponential leader. **The CEO Magazine**, 9 out. 2016.

GOVINDARAJAN, V. **The Three-Box Solution:** a Strategy for Leading Innovation. Boston: Harvard Business Review Press, 2016.

HANSEN, M. **Collaboration:** How Leaders Avoid the Traps, Build Create Unity, and Reap Big Results. Massachusetts: Harvard Business School Press, 2009.

JOLY, H. **The Heart of Business:** Leadership Principles for the Next Era of Capitalism. Boston: Harvard Business Review Press, 2021.

JOYNER, S. Steve Jobs and the Collaborative Framework. **Architect Features**, 15 maio 2019. Disponível em: https://archinect.com/features/article/150136821/steve-jobs-and-the-collaborative-framework. Acesso em: 5 jun. 2022.

LEVENSON, A.; MCLAUGHLIN, P. New Leadership Challenges for the Virtual World of Work. **MIT Sloan Management Review**, 4 jun. 2020. Disponível em: https://sloanreview.mit.edu/article/new-leadership-challenges-for-the-virtual-world-of-work/. Acesso em: 5 jun. 2022.

MAGALDI, S.; NETO SALIBI, J. **Estratégia adaptativa**. São Paulo: Gente, 2020.

_____. **Estudo de casos:** gestão do amanhã. Barueri: Camelot, 2022.

_____. **Gestão do amanhã**. São Paulo: Gente, 2018.

_____. **O novo código da cultura:** vida ou morte na era exponencial. São Paulo: Gente, 2019.

_____. **O que as escolas de negócios não ensinam:** insights sobre o mundo real de gladiadores da gestão. Rio de Janeiro: Alta Books, 2019.

MCGRATH, R. G. **O fim da vantagem competitiva:** um novo modelo de competição para mercados emergentes. São Paulo: Campus, 2013.

O'REILLY, B. **Desaprender**. Porto Alegre: McGraw-Hill Companies, 2021.

RIES, E. **A startup enxuta**. Rio de Janeiro: Sextante, 2019.

RIGBY, D.; ELK, S.; BEREZ, S. **Ágil do jeito certo**. São Paulo: Benvirá, 2020.

SCOTT, K. **Empatia assertiva**. Rio de Janeiro: Alta Books, 2019.

SIMMONS, M. How Elon Musk Learns Faster and Better than Everyone Else. **Quartz**, 25 abr. 2017. Disponível em: https://qz.com/968101/how-elon-musk-learns-faster-and-better-than-everyone-else/. Acesso em: 5 jun. 2022.

SINEK, S. **O jogo infinito**. Rio de Janeiro: Sextante, 2020.

SMAIL, S.; MALONE, M. S.; GUEEST, Y. V. **Organizações exponenciais**. Rio de Janeiro: Alta Books, 2019.

TELLIS, G. **Will and Vision**. Los Angeles: Figueroa Press, 2006.

THE EXPONENTIAL Leader's Guide to Achieving 10× growth. **Singularity Group**. Disponível em: https://www.su.org/learn-posts/the-exponential-leaders-guide-to-achieving-10x-growth. Acesso em: 5 jun. 2022.

VACHHRAJANI, I. Developing the Data-Driven Organization: Leadership, Culture and Learning. **MIT Sloan Management Review**, 18 nov. 2020. Disponível em: https://sloanreview.mit.edu/sponsors-content/developing-the-data-driven-organization-leadership-culture-and-learning/. Acesso em: 5 jun. 2022.

VANCE, A. **Elon Musk:** como o CEO bilionário da SpaceX e da Tesla está moldando nosso futuro. Rio de Janeiro: Intrínseca, 2015.

VON KROGH, G.; KUCUKKELES, B.; BEN-MENAHEM, S. M. Lessons in Rapid Innovation From the Covid-19 Pandemic. **MIT Sloan Management Review**, 1 jun. 2020. Disponível em: https://sloanreview.mit.edu/article/lessons-in-rapid-innovation-from-the-covid-19-pandemic/. Acesso em: 5 jun. 2022.

WALSH, M. **The Algorithmic Leader:** How to Be Smart When Machines Are Smarter Than You. Vancouver: Page Two Books, 2019.

NOTAS

INTRODUÇÃO

1. Tradução livre de: "I've been CEO for 15 years, and the initial part of my time as CEO was much easier because it was purely about the business [...]. You had to deal with your consumers, with your retailers. But now it's broader – it's about sustainability, it's about race, it's about inequality, it's about politics. It's everything". SCHRAGE, M. et. al. Leadership's Digital Transformation: Leading Purposefully in an Era of Context Collapse. **MIT Sloan Management Review**, 26 jan. 2021. Disponível em: https://sloanreview.mit.edu/projects/leaderships-digital-transformation/. Acesso em: 5 maio 2022.
2. READY, D. A. et al. The New Leadership Playbook for the Digital Age: Reimagining What It Takes to Lead. **MIT Sloan Management Review**, 21 jan. 2020. Disponível em: https://sloanreview.mit.edu/projects/the-new-leadership-playbook-for-the-digital-age/. Acesso em: 5 maio 2022.
3. Tradução livre de: "We have to think of ourselves as members of a leadership community." READY, D. A. Leadership Mindsets for the New Economy: Successful Companies Are Passionate about Fostering a Community of Leaders with New Mindsets. **MIT Sloan Management Review**, 6 nov. 2019. Disponível em: https://sloanreview.mit.edu/article/leadership-mindsets-for-the-new-economy/. Acesso em: 5 maio 2022.

CAPÍTULO 2

4. Demonstramos isso em MAGALDI, S.; SALIBI NETO, J. **Estratégia adaptativa**. São Paulo: Gente, 2020.
5. GROYSBERG, B. et al. How to Shape Your Culture. **Harvard Business Review**, jan.-fev. 2018. Disponível em: https://hbr.org/2018/01/how-to-shape-your-culture. Acesso em: 6 maio 2022.
6. Devido à sua relevância para o tema, retratamos os detalhes dessa experiência e seus aprendizados na obra de nossa autoria *O novo código da cultura*.
7. Tradução livre de: "If you're good at course correcting, being wrong may be less costly than you think, whereas being slow is going to be

expensive for sure 2016 LETTER to Shareholders. **Amazon**, 17 abr. 2017. Disponível em: https://www.aboutamazon.com/news/company-news/2016-letter-to-shareholders. Acesso em: 6 maio 2022.

8   Tradução livre de: DIAMANDIS, P. H.; KOTLER, S. **The Future is Faster Than You Think**. Nova York: Simon & Schuster, 2020.

CAPÍTULO 3

9   NETFLIX reveals The Crown viewing figures for the first time. **BBC**, 22 jan. 2020. Disponível em: https://www.bbc.com/news/entertainment-arts-51198033. Acesso em: 6 maio 2022.

10 COM DIANA, The Crown bate recorde e é série mais vista do streaming nos EUA. **Notícias da TV**, 17 dez. 2020. Disponível em: https://noticiasdatv.uol.com.br/noticia/series/com-diana-crown-bate-recorde-e-e-serie-mais-vista-do-streaming-nos-eua-48043. Acesso em: 6 maio 2022.

11 DENNING, S. How Amazon Became Agile. **Forbes**, 2 jun. 2019. Disponível em: https://www.forbes.com/sites/stevedenning/2019/06/02/how-amazon-became-agile/?sh=bd3656131aa1. Acesso em: 6 maio 2022.

12 Também em ROSSMAN, J. **Pense como a Amazon**. São Paulo: Buzz, 2022.

CAPÍTULO 4

13 GROYSBERG, B.; GREGG, T. How Tech CEOs Are Redefining the Top Job. **MIT Sloan Review**, 1 nov. 2019. Disponível em: https://sloanreview.mit.edu/article/how-tech-ceos-are-redefining-the-top-job/. Acesso em: 10 maio 2022.

CAPÍTULO 5

14 ANDERSON, N.; O'KEEFFE, D.; LANCRY, O. Learning from the Digital Leaders. **Bain & Company**, 7 ago. 2019. Disponível em: https://www.bain.com/insights/learning-from-the-digital-leaders/. Acesso em: 5 jun. 2022.

15 O'REILLY III, C. A.; TUSHMAN, M. L. The Ambidextrous Organization. **Harvard Business Review**, abr. 2004. Disponível em: https://hbr.org/2004/04/the-ambidextrous-organization. Acesso em: 16 maio 2022.

16 PEDRO de Godoy Bueno, do Grupo Dasa, é escolhido Empreendedor do Ano pela EY. **Forbes**, 28 abr. 2021. Disponível em: https://forbes.com.br/forbes-money/2021/04/pedro-de-godoy-bueno-do-grupo-dasa-e-escolhido-empreendedor-do-ano-pela-ey/. Acesso em: 16 maio 2022.
17 HAGEL III, J. Learning and Strategy. **Edge Perspectives**, 5 ago. 2010. Disponível em: https://edgeperspectives.typepad.com/edge_perspectives/2019/08/learning-and-strategy.html. Acesso em: 5 jun. 2022.
18 TAYLOR, B. How Leaders Can Balance the Needs to Perform and to Transform. **Harvard Business Review**, 10 jan. 2022. Disponível em: https://hbr.org/2022/01/how-leaders-can-balance-the-needs-to-perform-and-to-transform. Acesso em: 17 maio 2022.

CAPÍTULO 6

19 BERNSTEIN, E.; SHORE, J.; LAZER, D. Acertando o ritmo da música. **MIT Sloan Management Review Brasil**, 17 jan. 2022. Disponível em: https://www.mitsloanreview.com.br/post/acertando-o-ritmo-da-musica. Acesso em: 20 maio 2022.
20 DENNING, S. *op. cit.*
21 ROSSMAN, J. *op. cit.*

CAPÍTULO 7

22 ATHANASOPOULOS, P. et. al. Two Languages, Two Minds: Flexible Cognitive Processing Driven by Language of Operation. **Psychological Science**, v. 26, n. 4, p. 518-526, 2015. Disponível em: https://doi.org/10.1177/0956797614567509. Acesso em: 20 maio 2022.
23 WATSON, C. Speaking of Success: the Language of Reinvention and Exponential Growth. **Singularity Group**, 18 abr. 2019. Disponível em: https://www.su.org/blog/speaking-of-success-the-language-of-reinvention-and-exponential-growth. Acesso em: 20 maio 2022.
24 Dado consultado em: https://www.alibabagroup.com/en/about/faqs. Acesso em: 20 maio 2022.

CAPÍTULO 9

25 ELKINGTON, J. Accounting for the Triple Bottom Line. **Measuring Business Excellence**, 1 maio 1998. Disponível em: https://www.emerald.com/insight/content/doi/10.1108/eb025539/full/html. Acesso em: 4 jun. 2022.

26 PACTO GLOBAL DA ONU. **Who Cares Wins:** Connecting Financial Markets to a Changing World. Disponível em: https://www.ifc.org/wps/wcm/connect/de954acc-504f-4140-91dc-d46cf063b1ec/WhoCaresWins_2004.pdf?MOD=AJPERES&CACHEID=ROOTWORKSPACE-de954acc-504f-4140-91dc-d46cf063b1ec-jqeE.mD. Acesso em: 4 jun. 2022.

27 PACTO GLOBAL – REDE BRASIL; STILINGUE. **A evolução do ESG no Brasil**. Disponível em: https://conteudos.stilingue.com.br/estudo-a-evolucao-do-esg-no-brasil. Acesso em: 4 jun. 2022.

Este livro foi impresso
pela gráfica Bartira,
em papel pólen 70g
em maio de 2025.